SO-BJN-216

VIDA DE SANTO DOMINGO DE SILOS

—

POEMA DE SANTA ORIA

LITERATURA

ESPASA CALPE

GONZALO DE BERCEO

VIDA DE SANTO DOMINGO DE SILOS

POEMA DE SANTA ORIA

Edición
Aldo Ruffinatto

COLECCIÓN AUSTRAL

ESPASA CALPE

© *Espasa-Calpe, S. A.*

—

Maqueta de cubierta: Enric Satué

—

Depósito legal: M. 13.181—1992

ISBN 84—239—7262—3

Impreso en España
Printed in Spain

Talleres gráficos de la Editorial Espasa-Calpe, S. A.
Carretera de Irún, km. 12,200. 28049 Madrid

ÍNDICE

INTRODUCCIÓN

ENTRE SANTOS Y SANTAS. DOS POEMAS DE GONZALO DE BERCEO

1. Un viaje en el tiempo

Finjamos hallarnos en el monasterio de Santo Domingo de Silos, en el año de gracia de 1236, y que estamos presenciando la firma de un pacto de alianza y mutua asistencia entre la comunidad benedictina de Silos y la de San Millán de la Cogolla. Este pacto de alianza o «Carta de Hermandad» no representaba nada extraordinario para los monjes de los dos monasterios pues, cuando menos los más ancianos, se acordarían de una carta similar, firmada por los abades de Silos y San Millán en 1190. Y, sin embargo, en esta ocasión de la renovación del pacto, los de San Millán pueden ofrecer algo nuevo y de gran valor: se trata de un versificador que sabe transformar el «encerrado latino», en que se hallan envueltas las hazañas de los santos, en «román paladino» [1], o sea, un idioma asequible para la mayoría de los que vivían en tierras hispánicas, así como para un buen número de los que llegaban a España procedentes de otras partes de Europa.

---

[1] Las dos expresiones («encerrado latino» y «román paladino») pertenecen a Gonzalo de Berceo y pueden verse en las coplas 2 y 609 de la *Vida de Santo Domingo de Silos*.

Un versificador, nótese bien, y no simplemente un traductor; un buen conocedor de la «cuaderna vía», capaz de convertir en atractivos los asuntos más áridos como la liturgia de la misa o los loores a la Virgen María o los himnos religiosos más usuales, como el *Veni Creator Spiritus,* el *Ave maris stella* y el *Christe, qui lux es et dies* [2].

Si éste era monje efectivo en el monasterio de San Millán, o bien simplemente «clérigo secular» bajo la tutoría del mismo monasterio, es algo que no sabemos con exactitud [3]. En cambio, tenemos noticias concretas sobre la cultura de Berceo, principalmente la de carácter religioso y retórico (en el sentido de las *Artes dictandi o predicandi),* y conocemos muy bien su técnica de versificación, fundada en los principios métricos del «mester de clerecía» con sus rígidas normas de isosilabismo, sus estrofas de cuatro versos monorrimos y sus versos alejandrinos casi seguramente de origen francés [4].

Es muy posible que Gonzalo de Berceo aprendiera todo esto, bien en la «escuela» del monasterio de San Millán, donde sin duda se brindarían las nociones elementales del saber a los ni-

---

[2] En efecto, tanto *El Sacrificio de la Misa* (entre las doctrinales), como los *Loores de Nuestra Señora* (entre las marianas), como los *Himnos,* forman parte de las obras de Gonzalo de Berceo. A éstas hay que añadir dos obras marianas más, es decir: los *Milagros de Nuestra Señora* y el *Duelo que fizo la Virgen el día de la Pasión de su Hijo;* cuatro, hagiográficas: *Vida de San Millán de la Cogolla, Vida de Santo Domingo de Silos, Vida o Poema de Santa Oria, Martirio de San Lorenzo;* y una, doctrinal: *Los signos que aparecerán antes de Juicio.*

[3] Por sus obras y los documentos sabemos que nació en el pueblo de Berceo y se educó en el monasterio de San Millán de Suso; que era diácono en 1221 y preste en 1237. Pero eso es todo lo que sabemos sobre su vida, pues el título de notario del abad Juan Sánchez que se da a Berceo en la última cuaderna del *Libro de Alexandre* (ms. de París) resulta dudoso por toda una serie de razones (véase, al respecto, Brian Dutton, «The profession of Gonzalo de Berceo and the Paris manuscript of the *Libro de Alexandre», Bulletin of Hispanic Studies,* XXXVII (1960), págs. 137-45; y Gonzalo de Berceo, *Poema de Santa Oria,* edición de Isabel Uría Maqua, Madrid, 1981, pág. 11). Más adelante volveremos sobre este tema.

[4] Sobre la técnica versificatoria de Berceo sigue siendo fundamental el antiguo estudio de J. D. Fitz-Gerald, *Versification of the Cuaderna Vía as found in Berceo's «Vida de Santo Domingo de Silos»,* Nueva York, Columbia University Press, 1905. Véase, también, A. Ruffinatto, *«Sillavas cuntadas* e *Quaderna vía* in Berceo. Regole e supposte infrazioni», *Medioevo Romanzo,* I (1974), págs. 25-43.

ños más dotados del lugar (y nuestro Gonzalo era justamente
natural de Berceo, pueblo muy cercano a San Millán), o bien,
más tarde, en los recién creados Estudios Generales de Palencia,
o en fin desempeñando el trabajoso oficio de copista y ejerci-
tándose por consiguiente directamente en los textos. De esta
última posibilidad han quedado huellas, a mi modo de ver, en
el ya mencionado colofón de uno de los dos manuscritos del
Libro de Alexandre (el ms. de París), cuya cuaderna final reza
lo siguiente:

> Si queredes saber   quien fizo esti dictado,
> Gonçalo de Berceo   es por nombre clamado,
> natural de Madriz,   en Sant Milián criado,
> del abat Johan Sánchez   notario por nombrado.

«Quien fizo esti dictado», es decir, el que escribió este libro,
pero no en calidad de autor (como a alguien se le ha ocurrido,
tal vez un poco ingenuamente, pensar), sino más bien desempeñando el papel más humilde, si bien no menos laborioso, de
copista. De la misma manera que el copista del otro manuscrito
(el ms. O conservado en la Biblioteca Nacional de Madrid) el
cual, al llegar al final de su trabajo, apunta: "Se quisierdes
saber quien escrevió este ditado / Johan Lorenço bon clérigo e
onrado / natural de Astorga de mannas bien temprado / el día
del juicio Dios sea mio pagado". Pero, diferenciándose de éste
que, posiblemente, no dejó nunca de ser un humilde copista,
Gonzalo de Berceo en un momento determinado de su existencia decidió actuar por su cuenta y se convirtió en autor.

En el año de gracia de 1236, por lo tanto, la comunidad de
San Millán podía ofrecer a la de Silos (aunque no sabemos a
cambio de qué) los servicios de Gonzalo de Berceo, quien ya
se había puesto en evidencia trasladando al «román paladino»
la vida latina del patrón cogollano y contribuyendo así a la
divulgación de su imagen en el mundo [5]. El «patrón de los Si-

---

[5]   Me refiero, naturalmente, a la *Vida de San Millán de la Cogolla* que Berceo
redactó sin duda antes de la *Vida de Santo Domingo de Silos* (cfr. Frida Weber
de Kurlat, «Notas para la cronología y composición de las Vidas de Santos de
Berceo», *Nueva Revista de Filología Hispánica*, XV (1961), págs. 113-130).

los»[6], en cambio, no había gozado hasta el momento de análogos favores; su vida quedaba envuelta en el «encerrado latino» de un monje piadoso —llamado Grimaldus— operante hacia finales del siglo XI[7], así que muy pocos podían tener acceso a sus portentosas hazañas. De ahí la necesidad imperiosa de poner al alcance de la generalidad de las gentes la vida de Santo Domingo de Silos para que ella pudiese, de tal manera, atraer al monasterio silense un gran número de personas devotas, pero no sólo de las tierras colindantes sino también y sobre todo de las tierras más lejanas y más ricas según el modelo ejemplar propuesto por Santiago de Compostela.

Así, pues, nace la VIDA DE SANTO DOMINGO DE SILOS *(SDom)*, uno de los poemas más imponentes del mester de clerecía[8], y tal vez uno de los ejemplos más interesantes de cómo en aquel entonces podía organizarse una campaña publicitaria en favor de un santo y del lugar donde se le rendía veneración.

Imaginemos, ahora, que nos encontramos en el monasterio de San Millán de la Cogolla en el año de gracia de 1260 o por ahí. En algún rincón del convento, posiblemente el *scriptorium* (en el supuesto de que San Millán de Suso lo tuviera), o bien una pequeña celda, o bien (¿por qué no?) el portalejo-vestíbulo de entrada al monasterio[9], aprovechando la escasa luz de una tarde de otoño avanzado[10], un monje o un clérigo del lugar, bien entrado en años[11], se dedica al ejercicio de escribir. Este

---

[6]   Cfr. *Vida de Santo Domingo de Silos*, v. 424c.
[7]   Se trata de la *Vita Dominici Siliensis* que nos ha llegado en cuatro manuscritos. Existe una buena edición moderna publicada por Vitalino Valcárcel *(La «Vita Dominici Siliensis de Grimaldo». Estudio, edición crítica y traducción*, Logroño, Instituto de Estudios Riojanos, 1982).
[8]   En el marco de las obras de Berceo ocupa el segundo lugar, en cuanto a amplitud, después de los *Milagros de Nuestra Señora*.
[9]   Según leemos en la copla 184, v. 184b, del *Poema de Santa Oria:* "Gonçalo li dixieron al versificador / que *en su portalejo* fizo esta labor...".
[10]   Me refiero a lo que puede leerse en la copla 10, vv. 10cd, del mismo poema: "los días son non grandes, anochezrá privado, / escrivir en tiniebra es un mester pesado".
[11]   Aludo a la copla 2, v. 2a, del mismo poema: "Quiero en mi vegez, maguer so ya cansado...".

religioso tiene a su lado un códice antiguo, datable según su escritura (carlovingia o francesa) de la segunda mitad del siglo XI, y lo está consultando con mucho cuidado para después trasladar a tablillas de cera o recortes de pergamino algunas cosillas. Que no sea simplemente un amanuense comprometido en el acto material y mecánico de la copia lo demuestra la manera en que nuestro personaje utiliza el códice antiguo, así como lo descubren las pausas de meditación que muy a menudo se toma antes de afrontar a su vez el ejercicio de la escritura.

Como es obvio, estamos hablando una vez más de Gonzalo de Berceo, hombre ya viejo y cansado que está enfrentándose con una de sus últimas tareas. El códice que tiene a su lado, redactado en latín, le corresponde a un tal Munio, monje emilianense de la segunda mitad del siglo XI, y refiere la historia de una monja del mismo monasterio, emparedada o reclusa, que había muerto muy joven tras haber gozado de toda una serie de visiones paradisiacas. Munio, que también desempeñaba el oficio de confesor para con la joven reclusa, al tener conocimiento de sus visiones y no dudando acerca del origen sobrenatural de las mismas, se había comprometido en trasladarlas a la escritura con el fin de acreditar un lúcido caso de santidad.

La cualidad de santa de esta joven reclusa, cuyo nombre de pila (en latín, Aurea, en lengua vulgar, Oria) ya era de por sí de buen agüero, tuvo un reconocimiento inmediato, sobre todo porque en aquella época no se hacía ningún tipo de examen sobre la persona que se pretendía venerar como santa, siendo suficiente trasladar sus reliquias de la tumba al altar y bastando la devoción de la gente y la aceptación de todo esto por parte del obispo de la diócesis correspondiente. Lo cual, sin embargo, le asignaba al culto de estos santos un carácter meramente local de manera que, en la mayoría de los casos, su prestigio no se extendía más allá de los límites de un pueblo o no lograba salir del cercado de un monasterio.

Para remediar esta limitación hacía falta que alguien tratara de difundir la noticia en el mundo, posiblemente adoptando la misma técnica que los juglares de los cantares de gesta, cuya laboriosidad había permitido la divulgación de las hazañas de héroes en un principio poco conocidos, como Roldán o Rodrigo Díaz de Vivar, o incluso imaginarios, como Bernardo del Carpio.

En esta dirección, es decir, en la dirección de una «juglaría a lo divino», indudablemente Gonzalo de Berceo no tenía competidores en su época y en su tierra. Lógico, por lo tanto, que se le asignara a él la tarea de propagar las «hazañas» de Oria de Villavelayo, hasta entonces casi desconocidas.

Así, pues, nace el POEMA DE SANTA ORIA *(SOria),* casi seguramente la última obra de Berceo como se desprende, entre otras cosas, de los rastros marcados que allí aparecen de una primera redacción aún no revisada ni tampoco corregida. Alguien había encomendado este trabajo al versificador emilianense no sólo para hacer pública y acreditar la santidad de Oria, sino también por otras razones que veremos más adelante.

2.   LAS EXPECTATIVAS DE UN PÚBLICO DEVOTO

Como es bien sabido, en el siglo XIII el camino de Santiago era muy concurrido. Desde varias partes de Europa, a través de los principales puertos del Pirineo, entraban en España y acudían a Burgos imponentes compañías de peregrinos con su pesada carga de enfermedades, pero también con una buena cantidad de dinero y bienes materiales necesarios para hacer frente a los gastos de viaje así como para ofrendar al apóstol Santiago [12].

En Burgos hallaban un centro muy bien ordenado y rico en hospitales; una actividad comercial floreciente en función sobre todo de los mismos peregrinos; una organización de asistencia espiritual y material sobresaliente. Y en la misma ciudad los

---

[12]   La bibliografía sobre el camino de Santiago es abrumadora. Recuérdese simplemente la obra monumental de L. Vázquez de Parga, J. Uría, J. M. Lacarra, *Las peregrinaciones a Santiago de Compostela,* Madrid, C.S.I.C., 1948-1949 (3 vols.).

santiaguistas se detenían por mucho tiempo (a veces, hasta meses) antes de emprender nuevamente el largo camino hacia el sepulcro del apóstol de España.

Los religiosos de las distintas congregaciones que trabajaban allí sabían desempeñar correctamente su oficio en ambos planos (el físico y el espiritual), pues al lado de los imprescindibles servicios de subsistencia facilitaban toda una serie de encuentros —en el interior de las iglesias o en las cercanías de las «ermitas» fundadas por algún monje piadoso— donde bajo la forma canónica de la predicación o la lectura de textos sagrados intentaban poner a salvo la fe y alimentar la esperanza en el ánimo de los peregrinos. A este respecto, para que el mensaje alcanzara su objetivo, el encargado de las obras espirituales debía tener en la más grande consideración las expectativas del público: un público que sentía inclinación hacia el relato de las hazañas de algunos hombres extraordinarios (fueran ellos héroes o santos o las dos cosas simultáneamente) y gozaba del aspecto formal (cadencioso y rítmico) con que se intentaba hermosear la historia. En lo pragmático, un público que deseaba sacar provecho de estas manifestaciones literarias adaptándolas a las exigencias de la vida de cada día; y si las hazañas de los héroes de los cantares de gesta podían ofrecer modelos ejemplares para hacer frente a las adversidades, asimismo la conducta de los santos en sus leyendas hagiográficas proporcionaría, al lado de ejemplos de vida, esperanzas en lo referente a las enfermedades que en aquel entonces no tenían otro remedio sino el recurso a la actividad taumatúrgica de personajes extraordinarios.

2.1. *El horizonte de expectativas en la «Vida de Santo Domingo de Silos»*

Este horizonte de expectativas se percibe claramente en los distintos componentes del *SDom*: en el hecho, por ejemplo, que Gonzalo de Berceo se aplique a sí mismo la denominación de «juglar» equiparando de tal manera su oficio al de los divulgadores —y muy a menudo también autores— de los cantares

de gesta. Es una denominación que aparece expresada en este
comienzo de la segunda parte del *SDom* (c. 289):

> Queremos vos un otro   libriello começar,
> e de los sus milagros   algunos renunçar,
> los que Dios en su vida   quiso por él mostrar,
> cuyos *joglares* somos,   él nos deñe guiar;

y que se repite un par de veces hacia el final del poema, donde
si bien es verdad que tal denominación puede desempeñar el
papel de *topos humilitatis* [13] o calificarse como metáfora (baste
pensar en los *joculatores Domini* de San Francisco de Asís),
también es verdad que la misma puede expresar y, de hecho,
expresa la postura adoptada por el autor con respecto a su
público:

> Quiérote por mí misme,   padre, merced clamar,
> que ovi grand taliento   de seer tu *joglar*...
>
>   (vv. 775ab);

> Padre, entre los otros   a mí non desampares,
> ca dicen que bien sueles   pensar de tos *joglares*
>
>   (vv. 776ab).

En efecto, nada impide suponer que el mismo Berceo, al menos en un primer momento, fuera no simplemente el versificador sino también el divulgador (o sea, el «joglar» en sentido
restringido) de la vida del santo silense, así como otros colegas
suyos en el mundo románico [14].

Por otro lado, en el mismo *SDom* se percibe clarísimamente
otro elemento constitutivo del horizonte de expectativas: la referencia a las excepcionales virtudes del héroe. Un héroe que,

---

[13]   Véase E. R. Curtius, *Literatura europea y Edad Media latina,* II, México-
Buenos Aires, Fondo de Cultura Económica, 1955 (primera edición en alemán,
1948), págs. 582-590.

[14]   En el siglo XII, por ejemplo, Garnier de Pont-Sainte-Maxence había redactado y después se había hecho cargo de la divulgación de la *Vie de Saint Thomas.*

en vida, batallaba con milagros impresionantes y que, después de su muerte, sigue combatiendo de la misma manera; pues no hay enfermedad, ni modesta ni relevante, que Santo Domingo no haya podido (cc. 289-478: milagros *ante mortem)* o no pueda vencer (cc. 533-755: milagros *post mortem),* así como sus propiedades taumatúrgicas no actúan simplemente entre la gente pobre, sino que abarcan a todos los estamentos (c. 731):

> Quiquiere que lo diga,   o muger o varón,
> que el padrón de Silos   non saca infançón,
> repiéndase del dicho,   ca non dize razón,
> denuest al buen conféssor,   prendrá mal galardón.

Es más. Quedan patentes en la misma obra las huellas de una relación de competencia. En el exterior del poema, en efecto, obraban insistentemente dos factores, ambos contrarios al interés del monasterio de Silos: en primer lugar, aunque Santiago llevara hacia allí una multitud de peregrinos, su enorme prestigio dificultaba la tarea de los otros santos esparcidos a lo largo del camino que intentaban rivalizar con el apóstol de España en cuestión de milagros. Además, el monasterio de Silos quedaba en un lugar bastante apartado del camino de Santiago, y esto representaba una situación desfavorable con respecto a otros competidores que se hallaban directamente en el camino (como Santo Domingo de la Calzada) o en las cercanías del mismo (como San Millán de la Cogolla).

Hacía falta, pues, que la comunidad de Silos enviara a algunos de sus emisarios a los lugares más concurridos por los santiaguistas (Burgos, principalmente) confiándoles la tarea de divulgar las hazañas del santo silense para que los peregrinos se animaran a hacer un desvío hacia su monasterio y su tumba. Lo cual queda acreditado no sólo por la entonación general del *SDom,* sino también por algunas señales específicas que Berceo dirige a su público, como en la copla 385:

> Si de oír miráculos   avedes grand sabor,
> corred al monesterio   del sancto conffesor,
> por ojo los veredes,   sabervos an mejor,
> ca cutiano los face,   gracias al Criador; ᵥ

de donde, aparte la explícita invitación a visitar el monasterio
(v. 385b), se obtienen por lo menos otros dos informes: el primero, relativo a la recitación de la obra para un grupo de oyentes (v. 385a); el segundo, concerniente al lugar —seguramente
extraño al cenobio silense— en que se desarrollaba dicha recitación (vv. 385bc).

Pero, si la invitación a visitar el monasterio podía formularse
de manera explícita (como aquí), no subsistía, en cambio, la
posibilidad de que se hiciera lo mismo en lo referente a la com-
petición con Santiago. Ésta debía desarrollarse a través de un
camino esencialmente alusivo, según lo demuestra justamente
Gonzalo de Berceo al recoger de su fuente latina la experiencia
de un conde de Galicia y al describir sus fallidos intentos de
recobrar la vista ocasional y repentinamente perdida:

> Yendo de sant en sancto,   faciendo romerías,
> contendiendo con menges,   comprando las mengías,
> avié mucho espeso   en vanas maestrías,
> tanto que serié pobre   ante de pocos días.
>
> (c. 389)

Para evitar el peligro de «ser pobre ante de pocos días», este
conde de Galicia (nombrado Pelayo), tras haber recibido noticias acerca de las dotes extraordinarias del santo abad de Silos, determina trasladarse a su monasterio, estando seguro de
que, en virtud de la intercesión de Santo Domingo, Dios no le
negará la gracia. Y efectivamente:

> La virtud de los Cielos   fo luego y venida,
> cobró la luz el conde,   la que avié perdida;
> fo luego de la cara   la tiniebra tollida,
> non la ovo tan bona   en toda la su vida.
>
> (c. 395)

Al concluir la descripción de este suceso Berceo no deja de
añadir por su cuenta otros detalles, adecuados a las circunstancias, como la generosa ofrenda hecha por el conde al
monasterio ("Ufrió buena ofrenda, buen present e granado",
v. 396a) —en pago de un negocio muy bien aderezado ("rendiedió

a Dios gracias e al sancto prelado / como qui su negocio ha tan bien recabdado", vv. 396bc)—, y el regreso del conde a sus tierras gallegas ("pagado y alegre tornó a su condado", v. 396d).

Reuniendo todos estos elementos, el panorama toma una configuración clarísima, como si respetara la forma de un silogismo, es decir: 1) si el conde Pelayo reside en Galicia, o sea en la misma tierra de Santiago, entre las romerías que había llevado a cabo infructuosamente ("faciendo romerías", v. 389a), cabría, tal vez en primer lugar, la de Compostela; 2) y puesto que únicamente Santo Domingo logró poner remedio a su enfermedad, 3) entonces, las dotes taumatúrgicas de Santo Domingo de Silos sobrepasan a las de Santiago de Compostela.

A la luz de estos hallazgos, en sí sumamente significativos, resulta posible detectar otras alusiones del mismo tipo esparcidas a lo largo del poema como, por ejemplo, ésta que se halla envuelta en una copla donde se habla de la curación de tres mujeres endemoniadas que inútilmente habían buscado remedio en otros lugares:

> Guarir non las podieron   ningunas maestrías,
> nin cartas nin escantos   nin otras eresías,
> nin vigilias nin lágremas   nin *luengas romerías,*
> si no Sancto Domingo,   padrón de las mongías
>
> (c. 640)

Lógicamente, la referencia a «luengas romerías» hace pensar, entre otras cosas, en las peregrinaciones jacobeas, justamente por su larga duración.

Y si hacia el final del poema se habla de «peregrinantes» invocando para ellos protección y defensa ("a los peregrinantes gana seguridad", v. 773c), quedamos oficialmente autorizados a concluir que esta invocación no sea simplemente genérica sino más bien concreta y vinculada a una situación contingente.

En conclusión, es posible afirmar que bajo el perfil del horizonte de expectativas, el *SDom* se califica sin lugar a dudas como una obra de propaganda en favor del santo silense y su monasterio, dirigida sobre todo a los peregrinos necesitados de

gracias y, por lo tanto, dependientes de la actividad taumatúrgica de los santos. Los peregrinos de Santiago, en este sentido,
representaban un negocio provechoso y tan importante como
para ofrecerle amplia justificación al florecimiento de leyendas
hagiográficas alternativas contrastando con el monopolio de los
milagros explotado por el apóstol de España.

2.2. El horizonte de expectativas del «Poema de Santa Oria»

Muy distinta, en cambio, es la impresión que se saca del
esquema compositivo y los contenidos de *SOria*. Es sorpren-
dente, en primer lugar, la ausencia total de la actividad taumatúrgica, tan copiosa en el *SDom* y en otras hagiografías berceanas; ausencia que, por lo demás, encuentra amplia justificación en la pertenencia del poema al género místico-visionario,
cuyos desarrollos expresivos son de por sí suficientes para realzar las virtudes de la Oria emilianense. Y, sin embargo, una
ausencia que parece excluir del horizonte de expectativas de
SOria la exaltación de las hazañas de un héroe-santo obede-
ciendo a móviles publicitarios.

El poema de Oria parece más bien destinado a satisfacer las
exigencias de un público naturalmente inclinado hacia las cosas
espirituales y deseoso de profundizar la esencia de la santidad
más que recoger sus aspectos externos como lo son justamente
los milagros. Además, mirándolo bien, en *SOria* se nota una
clara preeminencia del género femenino sobre el masculino ma-
nifestando una especie de inversión de los valores con respecto
al *SDom*.

Por ejemplo, si en *SDom,* al tratar de los padres del santo,
Berceo hacía referencia en primer lugar a su padre y después
a su madre, sin mencionar siquiera el nombre de ella [15], en
SOria, en cambio, el primer puesto le corresponde a la madre

---

[15]   Véanse las cc. 7 y 8 del *SDom*.

de la santa y el segundo a su padre [16]. Una madre, la de Oria, que sabe ofrecer a su hija modelos ejemplares (c. 17):

> Quiso seer la madre   de más áspera vida,
> entró emparedada,   de celicio vestida,
> martiriava sus carnes   a la mayor medida,
> que non fuesse la alma   del dïablo vencida,

diferenciándose en esto de la madre de Santo Domingo cuya conducta se descubre incluso reprochable pues contrasta con las sabias intenciones de su hijo que quiere verla monja [17].

Lógicamente, acompañando a Oria en sus viajes oníricos a través del paraíso nos encontramos con mujeres (tres santas vírgenes) [18], mientras son «dos barones» los que guían a Santo Domingo a través del puente de cristal en el episodio del sueño de las tres coronas [19], que en muchas partes puede equipararse a las visiones de la santa emilianense. Asimismo, no extraña que Oria se apoye en una guía espiritual perteneciente al género femenino [20], ni tampoco sorprenden otras cosas por ese estilo.

Finalmente, al aparecerle en sueño a la pobre reclusa la Virgen se expresa con estas palabras:

> Yo so Sancta María   la que tú mucho quieres,
> que saqué de porfazo   a todas las mugieres

> (vv. 125ab);

o sea que, de entre todos los atributos posibles de la Madre de Dios sólo éste adquiere consistencia, el de haber devuelto a las mujeres su dignidad liberándolas del estado de infamia en que se hallaban después del pecado original.

Todos estos detalles y otros muchos que aquí no se consi-

---

[16]   Véanse los vv. 4cd del poema.
[17]   Cfr. *SDom*, c. 112.
[18]   Cfr. *SOria*, c. 27 y sigs.
[19]   Cfr. *SDom*, cc. 226-244.
[20]   ''Una maestra ovo de mucha sancta vida, / Urraca li dixeron, muger buena complida'' (vv. 70ab).

deran por exigencias de concisión dejan entender que el poema
de Oria apuntaba hacia un público femenino, y más concretamente hacia un sector de este público perceptible a través de
otras consideraciones.

Como ya ha sido oportunamente notado [21], la intención manifiesta de este último poema de Berceo parece situarse en la
vertiente de la ejemplaridad respetando sus tres elementos bá-
sicos: *a*) relato o descripción de las hazañas prodigiosas efec-
tuadas por un héroe-santo; *b*) enseñanza moral o religiosa consiguiente; *c*) activación, en el nivel pragmático, del espíritu de
emulación *(imitatio)*. En el *SDom,* según vimos, los puntos *b*)
y *c*) adquieren connotaciones totalmente distintas: en cuando
a *b*), más que la enseñanza moral o religiosa cuenta la manifestación del valor extraordinario del producto (milagros) ofrecido; en cuanto a *c*), y como consecuencia de este específico
planteamiento de *b*), el espíritu de emulación es sustituido por
el impulso para sacar provecho de la oportunidad. Justamente
por estas razones la vida del santo silense parece ceñirse en todo
y por todo a las obras de propaganda o bien a los más
esmerados intentos publicitarios en favor de un monasterio.

En cambio, el carácter especialmente ejemplar de *SOria* su-
giere otros horizontes y un público distinto al de los acostum-
brados peregrinos en búsqueda de milagros. De la misma manera que otras hagiografías que circulaban por tierras romá-
nicas en la misma época o en épocas anteriores [22], el misticismo
visionario de Oria podía muy bien despertar sentimientos de
vocación religiosa en el alma de los oyentes y, sobre todo, de
las oyentes contribuyendo de tal manera a incrementar el grupo
de las monjas o sorores tocanegradas que poblaban los monasterios benedictinos de la España del siglo XIII.

---

[21] Cfr., por ejemplo, T. A. Perry, *Art and Meaning in Berceo's «Vida de Santa
Oria»,* New Haven y Londres Yale University Press, 1968, págs. 48-55.
[22] Cfr. E. Auerbach, *Literatursprache und Publikum in der lateinischen Spä-
tantike und im Mittelalter,* Bern, Verlag A. Francke AG, 1958, pág. 259, n. 95.

3. ESQUEMAS COMPOSITIVOS

Sobre la estructura del relato hagiográfico, en general, y sobre la estructura de *SDom* y *SOria,* en particular, se han escrito muchas páginas, algunas excelentes [23]; se remite, por consiguiente, a ellas para un conocimiento más preciso del asunto. Aquí, en cambio, nos limitamos a recordar que el esquema compositivo unitario y tripartito, perceptible en casi todos los relatos hagiográficos, estriba en la fórmula «vida-muerte-milagros» que preside las manifestaciones expresivas de este género.

Pero, si la sobredicha fórmula actúa de manera correcta en *SDom,* así como en la *Vida de San Millán* (la primera de las tres hagiografías berceanas que nos han llegado), no puede decirse lo mismo del poema de Oria. La ausencia de milagros, que ya hemos tomado en consideración para establecer con exactitud su horizonte de expectativas, parece reflejarse también en la conformación de la obra, al observarla, por lo menos, en sus estructuras de superficie. Sin embargo, las cosas mudan radicalmente en el nivel de las estructuras profundas donde, según veremos, el modelo narrativo adquiere una configuración parecida a la de los demás relatos hagiográficos.

Por otro lado, si bien se mira, ni siquiera *SDom* se ciñe a un esquema tripartito en su manifestación narrativa [24] como, en cambio, parecen indicar los tres libros que oficialmente lo componen. En el primero, efectivamente, se descubren con facilidad dos partes bien distintas: la una, concerniente a la vida del santo desde su nacimiento hasta su instalación en el monasterio de Silos (cc. 1-221); la otra, relativa a su quehacer profético y

---

[23] Véase, por ejemplo, la monografía reciente de F. Baños Vallejo, *La hagiografía como género literario en la Edad Media. Tipología de doce «vidas» individuales castellanas,* Oviedo, Departamento de Filología Española, 1989.

[24] Con el sintagma «manifestación narrativa» se hace aquí referencia a las funciones narrativas en la fábula (la linealidad de la narración en los relatos hagiográficos desvirtúa la distinción entre «trama» y «fábula» que se hace normalmente en el estudio funcional del relato), mientras que el sintagma «modelo narrativo» remite a las mismas funciones agrupadas en elementos cardinales.

visionario (cc. 222-288). No es un caso, pues, que estas dos
partes resulten oportunamente separadas por una estrofa de
transición destinada a señalar el paso de un asunto a otro:

> Non vos querría mucho   en esto detener,
> querría adelante   aguijar e mover,
> enançar enna obra,   dándome Dios poder,
> ca otras cosas muchas   avemos de veder

> (c. 222)

Sucede lo mismo en el segundo libro (cc. 289-532), donde a
la narración de los milagros facilitados por el santo antes de
morirse (cc. 289-486) sigue la descripción de su muerte (cc. 487-
532) encabezada con la consabida estrofa de transición:

> Quiero passar al tránsido,   dexar todo lo ál,
> si non y espendremos   todo un temporal;
> aún después nos finca   una gesta cabdal
> de que farié el omne   un libro general

> (c. 487)

Tan sólo el tercer libro no admite más particiones pues aparece totalmente comprometido en la narración de los milagros
post mortem.

De cualquier modo, *SDom* abarca al menos cinco bloques
narrativos bien distintos entre sí: *a*) vida del santo, *b*) visiones
y profecías, *c*) milagros *ante mortem, d*) muerte, *e*) milagros *post
mortem*. Y si, después, estos bloques aparecen repartidos en tres
libros, ello no depende del contexto narrativo sino más bien de
otras exigencias, por lo demás expresadas en la misma obra y
fuertemente vinculadas al simbolismo numérico medieval [25]: la
tripartición —afirma Gonzalo de Berceo— quiere «significar»
la Trinidad ("los libros sinifiquen la sancta Trinidad", v. 534c),
mientras que la uniformidad del asunto ("la materia ungada",

---

[25]   Cfr. E. R. Curtius, ob. cit., págs. 700-712.

v. 534d) remite a la unicidad de Dios ("la simple Deïdad", 534d).

Por otro lado, al modelo tripartito (o arquetipo narrativo) que funciona —según decíamos antes— en el nivel de las estructuras profundas [26], se llega tras recoger los bloques *b)*, *c)* y *e)* en la denominación más genérica de «milagros» sin hacer distinción entre sus distintas expresiones («visiones», «profecías» y «milagros» *stricto sensu)*, y sin tener en cuenta su disposición temporal *(ante mortem / post mortem)*.

En cuanto a *SOria*, es posible descubrir en su manifestación narrativa los siguientes apartados o bloques: *a)* vida de la santa (cc. 1-24); *b)* primera visión de Oria (cc. 25-108); *c)* segunda visión de Oria (cc. 109-159); *d)* muerte de Oria (cc. 160-184); *e)* visión de su madre después de la muerte de Oria (cc. 185-205).

Resulta, pues, que también el poema de Oria propone, en el plano de la fábula, cinco bloques narrativos, al igual que *SDom*, diferenciándose de este último en lo referente a la «cualidad» de los puntos *b)*, *c)* y *e)* (visiones en lugar de milagros). Pero, si la coincidencia en el número de los apartados o bloques que constituyen la manifestación narrativa de las dos obras puede considerarse casual, no parece, en cambio, igualmente casual el hecho de que en el nivel de las estructuras profundas también los cinco apartados de *SOria* se reduzcan a tres, tras excluir la dimensión temporal (primera / segunda visión) y la perspectiva actancial (visiones de Oria / visiones de la madre de Oria). Reaparece, en suma, el esquema arquetípico tripartito perceptible en la mayoría de los relatos hagiográficos.

Todo esto, lógicamente, si planteamos la cuestión en los términos de la narratología o de las funciones narrativas. Desde otros puntos de vista —antropológico, sociológico, histórico, cultural, etc.—, más que la uniformidad de los esquemas compositivos cuenta justamente la diferencia de las categorías se-

---

[26] Téngase en cuenta que no hay ninguna relación específica entre este modelo y la partición oficial de la obra en tres libros que acabamos de examinar. Véase también la nota 24.

mánticas (en el caso que estamos examinando, la oposición entre visiones y milagros) con sus específicas implicaciones en los
distintos niveles. Sin embargo, el reducido ámbito de una introducción no consiente el desarrollo de estos caminos de in-
vestigación que de por sí requieren espacios mucho más am-
plios.

Volviendo, pues, a los esquemas compositivos hará falta pre-
cisar que la analogía, en el nivel profundo, entre *SDom* y *SOria*
no debe ocasionar ningún tipo de asombro puesto que los dos
poemas mantienen un diálogo intenso con sus fuentes latinas
(a veces se puede incluso hablar de simple traducción), y las
fuentes latinas, a su vez, se hallan insertadas en la rica veta de
las leyendas hagiográficas con esquema fijo que echan sus raíces
en la literatura cristiana antigua.

4. Diálogo con las fuentes

Sin embargo, la conformidad con la fuente escrita (subrayada
más de una vez en el texto de *SDom* y *SOria),* si bien parece
ser responsable de la uniformidad substancial de los esquemas
narrativos, no le impide a Berceo reivindicar su libertad de crea-
ción tanto en el ámbito más propiamente técnico de los recursos
literarios [27], como en el sector más específico de los móviles y
objetivos de sus obras. Para comprobar esto volvamos a con-
siderar, en calidad de ejemplo, el episodio del conde de
Galicia [28] y comparémoslo con la correspondiente secuencia narrativa de la *Vita Dominici Silensis,* a saber, la fuente latina
del *SDom* berceano redactada por el fraile silense Grimaldus
hacia finales del siglo XI [29]:

---

[27] Véase, al respecto, el estudio de J. Artiles, *Los recursos literarios de Berceo,*
Madrid, Gredos, 1964.
[28] Véase el apartado 2.1.
[29] Se utiliza aquí la edición ya mencionada de V. Valcárcel.

GRIMALDUS (I,13)

[A] Comes quidam Gallecie provincie, Petro Pelagii nomine, diuturna caligene occulorum afflictus fuerat

[B] et pro spe recuperande sanitatis multa loca sanctorum adierat multamque pecuniam in medicos erogaverat. Nichilque proficiens, omnia que pro eadem infirmitate expenderat, sine aliqua sui utilitate in vanum consumpserat.

[C] Iamque omnino desperans, famam virtutum viri Dei, referentibus plurimis, agnovit. Et quia ei satis notus erat et creberrime domestica familiaritate ei inheserat,

[D] festinus ad eum pervenit, molestiam sue diutine nimiumque omnibus suis profectibus importune infirmitatis ostendendo innotuit.

[E] Vir autem Domini, semper affluens visceribus pietatis, ex intimo cordis affectu flebiliter eicondoluit et ad sibi consueta se convertens camina, Domini misericordiam pro eo suplicaturus oracioni se tradidit.

BERCEO (cc. 388-396)

[A] Un conde de Gallicia que fuera valïado, / Pelayo avié nombre, ome fo desforçado; /perdió la visïón, andava embargado, / ca ome que non vede non devié seer nado.

[B] Yendo de sant en sancto, faciendo romerías, / contendiendo con menges, comprando las mengías, / avié mucho espeso en vanas maestrías, /tanto que serié pobre ante de pocos días.

[C] Entendió est conféssor que era tan complido, / que era en sus cosas de Dios tanto querido, / pero óvolo elli bien ante conoscido, / credié bien que por élli podrié seer guarido.

[D] Aguisó su facienda quanto pudo mejor, / fiçose a la casa traer del confessor; / empeçó a rogarlo a una grand dulçor / que quisiesse por élli rogar al Criador. // Si por élli rogasse, credié bien firmemient / que li darié consejo el Rey omnipotent; / empeçó a plorar tan aturadament / que facié de gran duelo plorar toda la gent.

[E] Ovo duelo del conde el confessor onrado, / que vedié tan grand prínceip seer tan aterrado; / tornó a su estudio que avié costumnado, / rogar a Jhesu Christo qui por nos fue aspado.

[F] Completa itaque oracione, vir beatus surrexit, aquam sibi dare petiit, quam propria manu benedicens, occulos languentis, pressos longa calamitate caliginis, nomen Domini cum magno suspirio invocans, perfudit.

[F] Quando ovo orado, la oración finada, / mandó traer el agua de la su fuent onrada; / bendíxola él misme con su mano sagrada, / en cascún de los ojos echó una puñada.

[G] Et, ¡dictum mirum!, nulla mora interveniente, integre sanitati restituit.

[G] La virtud de los cielos fo luego y venida, / cobró la luz el conde, la que avié perdida; / fo luego de la cara la tiniebra tollida, / non la ovo tan bona en toda la su vida.

[H] Mirati sunt adstantes de tam magna et miranda huiusmodi miraculi magnitudine. At multo magis mirati sunt de tam insueta curandi celeritate. Mirabile est certe infirmum longa egritudine fractum, cum mora quamvis prolixa sanare. At mirabilius est sine mora curare.

[H] Ufrió buena ofrenda, buen present e granado, /rendiedió a Dios gracias e al sancto prelado, / como qui su negocio ha tan bien recabdado, / pagado e alegre tornó a su condado.

La comparación entre estos dos textos no podría ser más reveladora en el sentido de que permite entrar, por así decirlo, en el taller o *scriptorium* de Gonzalo de Berceo y observar desde cerca su método de trabajo en virtud del juego de las constantes y las variables.

Las constantes, naturalmente, abarcan a los sectores del texto berceano que no se alejan lo más mínimo de su fuente y que, por lo tanto, aparecen como meras traducciones del latín con pequeños arreglos formales debidos a la rígida estructura métrica de la cuaderna vía. Forman parte de esta categoría las secuencias aquí señaladas con las letras B y E, donde la conformidad de Berceo con el texto latino no resulta de ningún modo afectada por una pequeña variante sinonímica en la secuencia B [30], ni tampoco por un ripio evidente en la secuencia E [31].

---

[30] El efecto indicado por Berceo ("tanto que serié pobre ante de pocos días") se sustituye a la causa expresada en el texto latino ("sine aliqua sui utilitate in vanum consumpserat").

[31] El «dominus» de la fuente latina se convierte en "Jhesu Christo qui por nos fue aspado".

Por lo que atañe a las variables, o sea las innovaciones debidas a la intervención autónoma de Berceo, en este mismo episodio del conde de Galicia pueden descubrirse hasta tres categorías distintas:

1. Omisiones o adiciones de pequeña entidad pero suficientes para introducir cambios relevantes en el ámbito de las implicaciones semánticas.

Es lo que ocurre en la secuencia C, donde la referencia del texto latino a las relaciones de intimidad familiar que el conde había trabado desde hacía mucho tiempo con Santo Domingo le quita de algún modo envergadura a su determinación pues ésta aparece debida, más que a la fama del santo de Silos, a elementos contingentes como una antigua amistad. Lo que Berceo, preocupado sobre todo con el aspecto cualitativo de las hazañas de su héroe, prefiere no mencionar en su texto, descuidando coherentemente el factor amistad para apelar únicamente a la notoriedad y al prestigio de Santo Domingo.

Algo parecido ocurre en la secuencia F, donde las aguas genéricas del texto latino ("aquam sibi dare petiit"), al verterse al texto vulgar, se convierten en las aguas procedentes de la «fuent onrada» del santo, a saber, la fuente situada en el claustro de Silos cuyas virtudes, apoyadas en una buena propaganda, podían atraer a los peregrinos necesitados de gracias empujándolos a visitar la tumba del santo[32].

2. Adiciones debidas a la práctica de la «amplificatio» en sus conocidas modalidades de la «expolitio» e «interpretatio».

La primera *(expolitio)* que, como es bien sabido, consiste en hablar de lo mismo, apelando a pruebas, semejanzas, ejemplos, aforismos, sentencias, etc., se percibe claramente en la secuencia A, donde la mayor amplitud del texto de Berceo es debida precisamente a un dicho sentencioso: "ca ome que non vede non devié seer nado".

---

[32] No se olvide, a este respecto, el importante papel que desempeñan las aguas milagrosas en favor de un monasterio o de un lugar sagrado.

La segunda modalidad *(interpretatio),* a saber, la reiteración con otras palabras de lo que acaba de decirse, puede verse en la secuencia G, donde la repetición en los últimos dos versos del concepto expresado en los dos primeros («curación de la ceguera») determina justamente la mayor extensión del texto berceano con respecto a su fuente.

3.   Distintas elaboraciones de un mismo asunto.

Es lo que puede verse en la secuencia final (H), donde Grimaldus subraya la rapidez de la curación milagrosa efectuada por el santo, mientras que Berceo omite este detalle para tratar de la generosa ofrenda hecha por el conde al monasterio de Silos como recompensa por un negocio llevado a cabo muy provechosamente. Por lo demás, sin olvidar, como hace Grimaldus, la referencia concreta al camino de vuelta del conde: "pagado e alegre tornó a su condado". Es cuestión, como ya vimos, de elementos que se insertan fácilmente en los móviles publicitarios de esta hagiografía berceana actuando preferentemente en el nivel pragmático.

Pero, si el diálogo entre *SDom* y su fuente latina, merced a la conservación de ambos textos, puede percibirse con facilidad y valorarse en todas sus partes, resulta, en cambio, totalmente interrumpido el diálogo paralelo del poema de Oria con la vida latina de la santa escrita por el monje Munio. Desdichadamente, esta última no ha llegado hasta nosotros, ni tenemos noticias de su paradero. Por consiguiente, en este caso no queda otro camino practicable fuera del que se ve en transparencia por debajo de las coplas del poema de Berceo, por lo menos en los lugares en que la condensación de la escritura no ofusca sus contornos.

Isabel Uría —destacada berceísta y especialista en *SOria*— ha llevado a cabo la tarea de realzar oportunamente estos contornos señalando, entre otras cosas, la mención que hace el poema a toda una serie de personas del siglo XI que, por su escaso relieve histórico-social, era difícil que Berceo pudiese reconocer ni identificar; y apuntando la conservación de algunas fechas pertenecientes al calendario mozárabe (que ya no estaban en vigor en la época de Berceo), así como la referencia a

disposiciones litúrgicas anteriores al IV Concilio Lateranense
de 1215 [33].

Pero, como la propia Uría no deja de relevar [34], el fenómeno
más interesante desde este punto de vista lo ofrece un cambio
repentino del plano perspéctico en que se sitúa el narrador.
Efectivamente, en dos circunstancias la voz narradora pasa de
Berceo a Munio deslizándose el «yo» del narrador primero
(Munio) al relato del segundo narrador (Berceo): me refiero a
las coplas 149-150 y a la 163 de *SOria*. Un cambio que, al
parecer, no puede atribuirse a un artificio análogo al del *Libro
de buen amor* (c. 576 y sigs.) o de otros documentos medievales,
sino más bien a un descuido o, por mejor decirlo, a una primera
redacción falta de revisiones como también parecen manifestarlo
otras huellas por el estilo perceptibles en el mismo poema.

Además, el hecho de que en algunas partes del poema no se
manifieste ni siquiera el intento de trasladar la voz narradora
de un autor a otro, constituye una huella preciosa en lo referente
a la definición de la fuente latina, porque de ello puede
desprenderse la ausencia de innovaciones debidas al segundo
autor (Berceo) y por consiguiente un acuerdo casi total entre
los dos textos. En estos casos bastaría volver a traducir el texto
de Berceo, conformándose con los parámetros lingüísticos de
los hagiógrafos que en el siglo XI actuaban en los monasterios
de Navarra-Aragón y Castilla, para obtener una imagen fidedigna
del texto de Munio.

De modo que, si, por un lado, la desaparición de la fuente
nos impide valorar con exactitud la cantidad y la cualidad de
las innovaciones berceanas en su redacción de la biografía de
Oria, por otro lado, justamente el aspecto tosco y primitivo del
texto de Berceo arroja luz sobre su punto de arranque permitiendo
la observación en filigrana del texto latino. Acerca del
cual sabemos, merced a Berceo, que estaba dividido en tres

---

[33]   Cfr. Gonzalo de Berceo, *Poema de Santa Oria,* edición de I. Uría Maqua,
Madrid, Clásicos Castalia, 1981, págs. 19-26.
[34]   Ob. cit., págs. 26-28.

partes o libros: el primero, concerniente a la vida y la primera
visión de Oria; el segundo, relativo a la segunda visión de Oria
y su muerte; el tercero, tocante a la visión de Amuña después
de la muerte de su hija Oria. Todo esto en la perspectiva de
un narrador que por su especial conocimiento del caso (ha-
biendo desempeñado el oficio de confesor de la santa) se sitúa
con respecto a la historia narrada en un nivel homodiegético,
aunque revistiendo un rol secundario que coincide con el de
observador o testigo [35].

A pesar de que quede reducido a una sola voz, el diálogo de
Berceo con su fuente se deja igualmente sentir incluso en el caso
de *SOria;* basta aguzar el oído y no tener la pretensión de cap-
tarlo en todos sus pormenores.

5. TEXTOS Y EDICIONES...

5.1. ... de la «Vida de Santo Domingo de Silos»

Esta obra ha llegado hasta nosotros en tres manuscritos: uno
del siglo XIII, y los otros dos del XIV. Y si bien es verdad que
uno de los mss. del siglo XIV, es decir, el que lleva la sigla H
(conservado en la Real Academia de la Historia) resulta ser
simplemente una copia directa (en palabras técnicas: *descriptus)*
del ms. del siglo XIII (S, Archivo del Monasterio de Santo Domingo de Silos), también es verdad que el ms. H reproduce
algunos trozos de su ejemplar que allí se han perdido por causa
de un deterioro mecánico (alguien, después que se realizó la
copia de H, le arrancó la última página).

A su vez, el ms. del siglo XIII (S) se sitúa en un ámbito cro-
nológico muy interesante puesto que fue transcrito en la misma
época en que actuaba Gonzalo de Berceo. A alguien se le ocurrió hasta sospechar que las correcciones que aparecen en el

---

[35] Utilizo aquí la conocida terminología de Genette extraída de su libro fundamental sobre el discurso en el relato (cfr. G. Genette, *Figures III,* París, Seuil,
1972, págs. 225-267).

margen o en el cuerpo del texto, debidas a otra mano distinta a la del copista principal de S, sean achacables al mismo Berceo; y, a pesar de que esta hipótesis, por toda una serie de motivos, no puede razonablemente ser acogida, queda, sin embargo, una realidad, o sea que dicho ms. representa el papel de *antiquior* con respecto a los demás testimonios de las obras de Berceo que han llegado hasta nosotros. Por consiguiente, muchos vocablos que en el siguiente siglo XIV habían caído en desuso (y de ello nos ofrece amplia documentación el otro ms. del *SDom* transcrito en el siglo XIV, el que se conserva en la biblioteca de la Real Academia Española de la Lengua [ms. 4], siglado E), quedan en S perfectamente certificados y ofrecen una imagen fidedigna de lo que debía ser el sistema lingüístico vigente en la época de Berceo por tierras de Castilla.

El mismo ms. S, en cambio, manifiesta un grado más bajo de fidelidad en lo referente a los rasgos típicamente riojanos (en general, de carácter vocálico, consonántico y morfológico) que debían pertenecerle por naturaleza al autor; una menor fidelidad debida al hecho de que S, aun remontándose a una época cercana a Berceo, se transcribió fuera del marco territorial de la Rioja o por obra de un copista castellano exento de riojanismos. La primitiva pátina riojana queda, pues, casi totalmente borrada por causa de los hábitos lingüísticos del copista de S (posiblemente, un monje castellano del monasterio de Silos); en tanto que la mayoría de los rasgos riojanos auténticos reaparecen en el manuscrito E, cuyo copista trabajaba en el convento de San Millán y era natural de un pueblo cercano a dicho convento o, de cualquier forma, incluido en el marco territorial de la Rioja Alta.

En consecuencia, nos hallamos, por un lado, frente a un testimonio «antiguo» (S), digno de confianza en lo referente a la *langue* vigente en la época de Berceo, mientras que, por otro lado, estamos en presencia de un testimonio «moderno» (E, primera mitad del siglo XIV), más cercano a los hábitos dialectales del poeta altorriojano pero, al mismo tiempo, lejano de su sistema lingüístico y léxico. De hecho, en este último se hallan con frecuencia modernizaciones debidas a la intervención

voluntaria del copista, en general detectables merced a los trastornos que dichos cambios ocasionan en el nivel métrico.

Por lo tanto, en lo que concierne al aspecto lingüístico, el
editor moderno tendrá que efectuar una sutil operación restau-
radora respetando la antigüedad de S y, al mismo tiempo, re-
cogiendo de E los rasgos altorriojanos que debían pertenecerle
a Berceo. Y es lo que hemos intentado hacer también en esta
edición.

En el nivel textual, en cambio, la cuestión se plantea en los
términos habituales de un cuadro de derivación con dos ramas
(representadas, correspondientemente, por S y E; H, como ya
sabemos, resulta *descriptus* de S) que se remontan a un primer
portador de variantes, o arquetipo, cuya existencia queda con-
firmada merced a una serie de errores significativos comunes a
todos los testimonios. Testimonios que, a su vez, se muestran
independientes el uno del otro en virtud de varios errores se-
parativos de S con respecto a E y de E con respecto a S. Di-
rigiéndose alternativamente hacia las lecciones auténticas cer-
tificadas por el uno o el otro manuscrito, el editor moderno
puede llegar a reconstruir una imagen bastante fiel del arquetipo; tal vez la imagen del «códice en quarto, muy antiguo» que
se conservó hasta el siglo XVIII en el archivo del monasterio de
San Millán para tomar después un camino desconocido.

En lo referente a las ediciones del *SDom,* cabe distinguir entre
ediciones antiguas (anteriores al siglo XX) y modernas (y, dentro de las modernas, entre ediciones críticas y meramente divulgativas).

Como es bien sabido, el *SDom* se publicó por primera vez
en 1736 (en Madrid, en la imprenta de los Herederos de Francisco del Hierro), al cuidado del padre Sebastián de Vergara
que había recibido la petición de la comunidad de Santo Domingo de Silos, de escribir la vida del santo. En el mismo
siglo XVIII, se publicó nuevamente en la *Colección de poesías
castellanas anteriores al siglo XV*, recopilada por Tomás Antonio Sánchez (Madrid, 1779-90). Dos fueron las ediciones del
siglo XIX, la primera a cargo de Eugenio de Ochoa (París, 1842)
y la segunda, de Florencio Janer (Madrid, 1864).

Modernamente, siguiendo los principios de la crítica textual, la obra ha sido editada por John D. Fitz-Gerald (París, 1904), Alfonso Andrés, el que primero dio a conocer el ms. antiguo S (Madrid, 1958); Aldo Ruffinatto (Logroño, 1978), y Brian Dutton (Londres, 1978).

Entre las ediciones divulgativas modernas, cabe señalar la de Germán Orduna (Madrid, 1968, Biblioteca Anaya) y la de Teresa Labarta de Chaves (Madrid, 1972, Clásicos Castalia, 49).

5.2.   ... del «*Poema de Santa Oria*»

Tres manuscritos nos han transmitido esta obra, pero uno solo de ellos sirve para la reconstrucción del texto (es decir, el ms. 4b de la Real Academia Española de la Lengua, siglo XIV, llamado F por ser una parte del códice «in Folio» de los poemas de Berceo que perteneció al monasterio de San Millán de la Cogolla [36]). Los otros dos (el ms. 93 de Silos, llamado códice Ibarreta [= I], siglo XVIII, y el ms. 18577/16 de la Biblioteca Nacional de Madrid [sigla G], también del XVIII) son copias directas de F y, por lo tanto, desarrollan el papel de *descripti*. Con excepción de las coplas 57-72, correspondientes a un folio de F que se perdió después del siglo XVIII, donde los dos *recentiores,* por el hecho de ser los únicos testimonios de este trozo perdido, juegan un papel textual imprescindible.

De todas formas, el POEMA DE SANTA ORIA pertenece a la categoría de las tradiciones con un solo testimonio *(codex unicus),* así que para subsanar los errores que allí se encuentren hace falta apelar a la práctica de la *emendatio ope ingenii.* Una tarea —como todo filólogo sabe— muy difícil y peligrosa, y en este caso aún más problemática pues a los errores de tipo lingüístico con sus reflejos métricos se suman alteraciones evidentes en la disposición de las estrofas, además de una laguna textual bastante extensa (16 coplas) debida a la pérdida de un folio. Isabel Uría, a la que ha correspondido el intento —en muchos casos atinado— de arreglar el desorden de las cuader-

---

[36]   También el ms. E de la *Vida de Santo Domingo de Silos* (ms. 4 de la Real Academia Española de la Lengua) formaba parte de dicho códice *in folio.*

nas, supone que Berceo compusiera primeramente su texto en tablillas de cera y luego lo iría pasando a soportes más firmes y estables como recortes de pergamino u otro material no perecedero. Los trastornos en la disposición de las cuadernas, al igual que las lagunas, deberían achacarse al copista encargado de trasladar a pergamino (es decir, a un libro manuscrito compuesto por un conjunto de hojas) los recortes de Berceo [37].

Queda, sin embargo, la posibilidad de que no todas las alteraciones se remonten al acto de la copia, sino que algunas de ellas pertenezcan al mismo original de Berceo, o sea, a una primera redacción de la obra que por alguna razón (¿muerte del autor?) no pudo revisarse. Teniendo en cuenta esta posibilidad, nuestra edición del POEMA DE SANTA ORIA se adhiere estrictamente a su testimonio y le asigna al apartado de las notas la tarea de señalar los desórdenes más evidentes.

La primera edición de *SOria* apareció en el siglo XVIII, en la *Colección de Poesías Castellanas anteriores al siglo XV* de Tomás Antonio Sánchez que se ha mencionado más arriba. Siguen, en el siglo XIX, la edición de Eugenio de Ochoa y la de Florencio Janer (como en el caso de la VIDA DE SANTO DOMINGO).

Modernamente, podemos contar con la edición de C. Carroll Marden, *Cuatro poemas de Berceo* (Madrid, 1928), con la de Giovanna Maritano (Varese-Milano, 1964) y con la de T. Anthony Perry (New Haven y Londres, 1968). Merecen una mención particular las dos ediciones de Isabel Uría Maqua (Logroño, 1976, y Madrid, 1981, Clásicos Castalia, 107), sobre todo la primera que, además del texto crítico (con sus cuadernas reordenadas), ofrece el texto paleográfico de la obra.

Hay otras ediciones modernas del POEMA, meramente divulgativas, que aquí no se apuntan.

ALDO RUFFINATTO.

---

[37]   Cfr. I. Uría Maqua, ob. cit., págs. 54-68.

BIBLIOGRAFÍA SELECTA

Para una información bibliográfica detallada sobre Gonzalo de Berceo y sus obras hasta la fecha respectiva, cabe acudir al siguiente trabajo:

SAUGNIEUX, JOEL, y VARASCHIN, ALAIN: «Ensayo de bibliografía berceana», *Berceo*, 104 (enero-junio, 1983), págs. 103-119.

Aquí se mencionan (en orden alfabético de autores) tan sólo algunos títulos directa y específicamente relacionados con la *Vida de Santo Domingo de Silos* y el *Poema de Santa Oria:*

ALEZA IZQUIERDO, MILAGROS: «Valores de *un* en el *Poema de Santa Oria* de Gonzalo de Berceo», *Estudis en memoria Manuel Sanchis Guarner*, II (1985), págs. 13-16.

ALVAR, MANUEL: «En torno a calabrina (S. Or. 104b)», *II Jornadas de Estudios Berceanos. Actas, Berceo*, 94-95 (1978), págs. 7-15.

BURKE, JAMES F.: «The four *comings* of Christ in Gonzalo de Berceo's *Vida de Santa Oria*», *Speculum*, 48 (1973), págs. 293-312.

CAPUANO, THOMAS M.: «*Era* in Berceo's *Vida de Santo Domingo de Silos, 467d*», *Romance notes*, XXVII (1986), páginas 191-196.

DUTTON, BRIAN: «Berceo's Bad Bishop in the *Vida de Santa Oria*», *Medieval Studies in honor of Robert White Linker*, Valencia, Castalia (1973), págs. 95-102.

FARCASIU, SIMINA M.: «The Exegesis and Iconography of Vi-
sion in Gonzalo de Berceo's *Vida de Santa Oria*», *Speculum*,
61 (1986), págs. 305-329.

FITZ-GERALD, JOHN D.: *Versification of the Cuaderna Vía as
found in Berceo's «Vida de Santo Domingo de Silos»*, Nueva
York, Columbia Univ. Press, 1905.

FUENTE CORNEJO, TORIBIO: «La *Vida de Santa Oria* y la *Divina
Commedia*, aspectos escatológicos», *Homenaje a Álvaro Gal-
més de Fuentes*, II (1985), páginas 345-360.

GIMENO CASALDUERO, JOAQUÍN: «La norma hagiográfica de
la *Vida de Santo Domingo de Silos*», *Actas del V Congreso
Internacional de Hispanistas*, II (1977), págs. 441-448.

GIMENO CASALDUERO, JOAQUÍN: «La *Vida de Santa Oria* de
Gonzalo de Berceo: nueva interpretación y nuevos datos»,
Anales de Literatura Española, Universidad de Alicante, 3
(1984), págs. 235-281.

HANSSEN, FEDERICO: «Notas a la *Vida de Santo Domingo de
Silos*, escrita por Berceo», *Anales de la Universidad de Chile*,
CXX (1907), págs. 715-763.

LIDA, MARÍA ROSA: «Notas para el texto de la *Vida de Santa
Oria*», *Romance Philology*, X, 1 (1956), páginas 19-33.

PERRY, ANTHONY T.: *Art and Meaning in Berceo's «Vida de
Santa Oria»*, New Haven y Londres, Yale University Press,
1968 (Yale Romanic Studies, Second Series, 19).

RUFFINATTO, ALDO: *La lingua di Berceo. Osservazioni sulla lingua dei mss. della «Vida de Santo Domingo de Silos»*, Pisa,
Università di Pisa, 1974.

RUFFINATTO, ALDO: «Historia de ríos y bosques impuros (Berceo, *Vida de Santo Domingo de Silos*, v. 223d)», en *Sobre textos y mundos (Ensayos de filología y semiótica hispánicas)*,
Murcia, Universidad de Murcia, 1989, págs. 15-34.

SALA, RAFAEL: *La lengua y el estilo de Gonzalo de Berceo. Introducción al estudio de la «Vida de Santo Domingo de Silos»*,
Logroño, Instituto de Estudios Riojanos, 1983.

SUSZYNSKI, OLIVIA C.: *The Hagiographic Thaumaturgic Art of
Gonzalo de Berceo: «Vida de Santo Domingo de Silos»*, Bar-
celona, Ed. Hispam, 1976.

TEMPRANO, JUAN CARLOS: «Dos glosas a la *Vida de Santa Oria* de Gonzalo de Berceo», *La ciudad de Dios,* CXCVII (1984), págs. 127-136.

URÍA MAQUA, ISABEL: «Oria emilianense y Oria silense», *Archivum* (Universidad de Oviedo), XXI (1971), págs. 305-336.

URÍA MAQUA, ISABEL: «El *Poema de Santa Oria.* Cuestiones referentes a su estructura y género», *II Jornadas de Estudios Berceanos. Actas, Berceo,* 94-95 (1978), págs. 43-55.

URÍA MAQUA, ISABEL: «La copia del *Poema de Santa Oria* que cita el P. Sarmiento en sus *Memorias*», *Incipit,* III (1983), págs. 9-24.

WALSH, JOHN K.: «The Other World in Berceo's *Vida de Santa Oria*», en *Hispanic Studies in honor Alan Deyermond,* Madison, 1986, págs. 291-307.

WEBER DE KURLAT, FRIDA: «La "visión" de Santo Domingo de Silos. Berceo, *Vida de Santo Domingo de Silos,* cuartetas 224-251», *Estudios ofrecidos a Emilio Alarcos Llorach,* III (1978), págs. 489-505.

VIDA DE SANTO DOMINGO DE SILOS

VIDA DE SANTO DOMINGO DE SILOS

1 En el nomne del Padre,   que fiço toda cosa,
   e de don Ihesu Christo,   fijo de la Gloriosa,
   e del Spíritu Sancto,   que egual dellos posa,
   de un confessor sancto   quiero fer una prosa.

2 Quiero fer una prosa   en román paladino
   en qual suele el pueblo   fablar con so vecino,
   ca non so tan letrado   por fer otro latino,
   bien valdrá, como creo,   un vaso de bon vino.

3 Quiero que lo sepades   luego de la primera,
   cuya es la istoria,   metervos en carrera:

1ac   La invocación a la Trinidad, al comienzo del poema, se repite igualmente en otras obras de Berceo y del mester de clerecía como fórmula tópica de encabezamiento.

1d   *prosa,* "poema, composición poética". En la temprana Edad Media se empleaba este vocablo con el sentido de "poema rítmico".

2a   *román paladino,* "lengua vulgar, clara", por oposición al "encerrado latino" (690c).

2d   La petición juglaresca del «vaso de vino» pertenece a la categoría de los lugares comunes literarios y, por consiguiente, no tiene nada que ver con la realidad.

es de Sancto Domingo   toda bien verdadera,
el que dicen de Silos   que salva la frontera.

4 En el nomne de Dios   que nombramos primero,
   suyo sea el precio,   yo seré su obrero;
   galardón del lacerio   yo en El lo espero,
   qui por poco servicio   da galardón larguero.

5 Señor Sancto Domingo,   dizlo la escriptura,
   natural fue de Cañas,   non de bassa natura,
   lealmiente fue fecho   a toda derechura,
   de todo muy derecho,   sin nulla depresura.

6 Parientes ovo buenos,   del Criador amigos,
   que siguién los esiemplos   de los padres antigos;
   bien sabién escusarse   de ganar enemigos,
   bien lis vinié en mientes   de los buenos castigos.

7 Juhanes avié nomne   el su padre ondrado,
   de liñage de Mansos,   un omne señalado,
   amador de derecho,   de seso acabado,
   non falsarié judicio   por aver monedado.

8 El nombre de la madre   dezir non lo sabría,
   como non fue escrito   no lo devinaría,
   mas ayan la su alma   Dios e Sancta María;
   prosigamos el curso,   tengamos nuestra vía.

3d   Entre las cualidades de los santos castellanos de la época destaca precisamente la de "guarda o amparo de la tierra" contra los moros.
   5a   *escriptura*, "fuente escrita", con referencia a la vida latina del santo silense
redactada por el monje Grimaldus.
   5b   *Cañas*, pueblo de la Rioja Alta entre Nájera y Santo Domingo de la Calzada.
   7b   *Mansos*, la familia de los Manso, a la que pertenecía Santo Domingo,
dominaba entonces la región de Cañas.
   8d   Los términos «curso» y «vía» remiten a las artes liberales de la Edad Media
(las «cuatro y tres vías»), así como a la doctrina poética del mester de clerecía.
Piénsese en el conocidísimo verso 2c del *Libro de Alixandre;* "fablar *curso* rimado
por la cuaderna *vía*".

9 La cepa era buena, engendró buen sarmiento,
   non fue caña liviana la que torna el viento;
   ca de luego fo cuerdo, niño de buen taliento,
   de oír vanidades no lo prendié taliento.

10 Sirvié a los parientes de toda voluntad,
   mostrava contra ellos toda humilidad,
   traié, maguer niñuello, tan gran simplicidad
   que se maravillava toda la vecindad.

11 De risos nin de juegos avié poco coidado,
   a los que lo usaban aviélis poco grado;
   maguer de pocos días, era muy mesurado,
   de grandes e de chicos era mucho amado.

12 Traié en contra tierra los ojos bien premidos,
   por no catar follías teniélos bien nodridos,
   los labros de la boca teniélos bien cosidos,
   por non decir follías nin dichos corrompidos.

13 El pan que entre día li davan los parientes,
   no lo querié él todo meter entre los dientes,
   partiélo con los moços que avié coñocientes,
   era moço complido, de mañas convinientes.

14 Creo yo una cosa, sé bien que es verdad,
   que lo iva guiando el Rey de Majestad,
   ca face tales cosas la su benignidad,
   que a la bestia muda da racionalidad.

9a   Además de la posible referencia concreta a la viticultura riojana, la imagen
tiene carácter metafórico y se remonta a *Juan*, XV, 5 ("ego sum vitis, vos pal-
mites").

9b   Otra metáfora de derivación bíblica. Véase *Mateo*, XI, 7 ("Quid existis in
desertum videre? harundinem vento agitatam?").

10b   *contra ellos*, "hacia ellos, para con ellos".

14d   Posible alusión a la burra del profeta bíblico Balaam (*Números*, 22).

15 Essa virtud obrava   en essi su criado,
   por essi condimiento   vinié tan alumbrado,
   si non de tales días   non serié señalado;
   siempre es bien apreso   qui de Dios es amado.

16 Si oié raçón buena,   bien la sabié tener,
   recordávala siempre,   non la querié perder;
   santiguava su cevo   quando querié comer,
   sí facié que sequiere   que avié de bever.

17 Dicié el *Pater Noster*   sobre muchas vegadas,
   e el *Credo in Deum*   con todas sus posadas,
   con otras oraciones   que avié costumbradas,
   éranli estas nuevas   al dïablo pesadas.

18 Vivié con sus parientes   la sancta criatura,
   el padre e la madre   queriénlo sin mesura,
   de nulla otra cosa   él non avié ardura,
   en aguardar a ellos   metié toda su cura.

19 Quando fue peonciello   que se podié mandar,
   mandólo ir el padre   las ovejas guardar;
   obedeció el fijo,   ca non querié pecar,
   ixo con su ganado,   pensólo de guiar.

20 Guiava so ganado   como faz buen pastor,
   tan bien no lo farié   alguno más mayor,
   non querié que entrassen   en agena lavor,
   las ovejas con élli   avién muy grand sabor.

21 Dávalis pastos buenos,   guardávalas de daño,
   ca temié que del padre   recibirié sosaño;

15b *condimiento,* "unción, gracia especial".
17b *posadas,* indica las pausas que se efectúan durante la recitación coral del Credo y, por extensión, el Credo en su versión litúrgica oficial.
21b *sosaño,* "reprensión, zaherimiento".

a rico ni a pobre   non querié fer engaño,
que más querié de fiebre   iacer todo un año.

22 Luego a la mañana   sacávalas en cierto,
tenié en requerirlas   el ojo bien abierto,
andava cerca dellas   prudient e muy espierto,
nin por sol nin por pluvia   non fuyé a cubierto.

23 Tornava a la tarde   con ellas a posada,
su cayado en mano,   con su capa vellada,
a los que lo ficieron,   luego en la entrada,
besávalis las manos,   la rodiella fincada.

24 El Pastor que non duerme   en ninguna sazón
e fiço los abissos   que non avién fondón,
guardava el ganado   de toda lesïón,
non facié mal en ello   nin lobo nin ladrón.

25 Con la guarda sobeja   que el pastor lis dava,
e con la sancta gracia   que Dios lis ministrava,
aprovava la grey,   cutiano mejorava,
tanto que a algunos   embidia los tomava.

26 Abel el protomártir   fue el pastor primero,
a Dios en sacrificio   dio el mejor cordero,
fíçole Dios por ende   en cielo parcionero;
démosli al de Silos   por egual compañero.

27 Los sanctos patriarchas,   todos fueron pastores,
que de la leï vieja   fueron contenedores,
assí como leemos   e somos sabidores,
pastor fue Samillán   e otros confessores.

25c   "el rebaño daba buena prueba de sí, mejoraba de día en día".
26ab   Véase *Génesis*, 4, 4.
27b   *contenedores,* "depositarios".
27d   Alusión clara a la *Vida de San Millán* redactada por el mismo Berceo
con anterioridad respecto a la *Vida de Santo Domingo de Silos.*

28 De pastores leemos   muchas buenas raçones,
   que salieron prudientes   e muy sanctos varones;
   esto bien lo trobamos   en muchas de lectiones,
   que trae est oficio   buenas terminaciones.

29 Oficio es de precio,   non caye en viltança,
   sin toda depresura,   de grand sinificança;
   David tan noble rey,   una fardida lança,
   pastor fue de primero   sin ninguna dubdança.

30 Nuestro Señor don Christo,   tan alta podestad,
   dixo que pastor era,   e bueno de verdad,
   obispos e abades,   quantos han dignidad,
   pastores son clamados   sobre la Christiandad.

31 Señor Sancto Domingo   de primas fue pastor,
   después fue de las almas   padre e guiador;
   bueno fue en comienço,   a postremas mejor,
   el Reï de los Cielos   nos dé el su amor.

32 Quatro años andido   pastor con el ganado,
   de quanto li echaron   era mucho criado;
   teniésse el su padre   por omne venturado,
   que criado tan bueno   li avié Dios prestado.

33 Movamos adelante,   en esto non tardemos,
   la materia es grande,   mucho non demudemos,
   ca de las sus bondades,   maguer mucho andemos,
   la millésima parte   decir no la podremos.

28a *raçones,* "composiciones, poemas".
28c *lectiones,* fragmentos extraídos de la Sagrada Escritura y otros textos sagrados que se leen en el oficio divino en los maitines.
28d *terminaciones,* vocablo que se relaciona con la voz retórica «terminatio» que vale completamiento, perfeccionamiento de una frase.
29c *una fardida lança,* "un valiente guerrero". Epíteto épico usual en los cantares de gesta.

34 El sancto pastorciello,   niño de buenas mañas,
   andando con so grey   por término de Cañas,
   asmó de seer clérigo,   saber buenas façañas,
   pora bevir onesto,   con más limpias compañas.

35 Plogo a los parientes,   quando lo entendieron,
   cambiáronli el hábito,   otro mejor li dieron,
   buscáronli maestro,   el mejor que pudieron,
   leváronlo a glesia,   a Dios lo ofrecieron.

36 Diéronli su cartiella,   a ley de monaciello,
   assentósse en tierra,   tollósse el capiello,
   en la mano derecha   priso su estaquiello,
   apriso fasta'l títol   en poco de ratiello.

37 Vinié a su escuela   el infant grand mañana,
   non avié a decírgelo   nin padre nin ermana;
   non facié entre día   luenga meridïana,
   ovo algo apreso   la primera semana.

38 Fue en poco de tiempo   el infant salteriado,
   de imnos e de cánticos   bien i gent decorado;
   evangelios, epístolas   aprísolas privado;
   algún mayor levava   el tiempo más baldado.

35d   "lo llevaron a la iglesia", como monaguillo u oblato en una escuela ecle-
siástica.
   36a   *cartiella,* librillo para aprender a leer.
   36c   *estaquiello,* puntero, estilo para escribir en la cera.
   36d   *títol,* no remite al título de monaguillo o diácono, como creen muchos
comentaristas de la *Vida de Santo Domingo,* sino al título del librillo en que el
futuro santo aprende a leer.
   37a   *grand mañana,* "muy temprano".
   37c   *meridïana,* "la siesta después del mediodía". Lo mismo en el latín vulgar
donde *meridiana* significaba "meridianum somnium capere".
   38a   *salteriado:* "que sabe el salterio".
   38b   Los concilios ordenaban que se aprendieran de memoria el salterio, los
himnos y los cánticos del oficio divino.
   38d   "alguno mayor que él aprendía más despacio".

39 Bien leyé e cantava,   sin ninguna pereza,
    mas tenié en el seso   toda su agudeza,
    que sabié que en esso   li yazié la proveza,
    non querrié el meollo   perder por la cordeza.

40 Fue alçado el moço   pleno de bendición,
    salló de mancebía,   ixió sancto varón;
    fazié Dios por él mucho,   oyé su oración,
    fue salliendo afuera   la luz del coraçón.

41 Ponié sobre su cuerpo   unas graves sentencias,
    ieiunios e vigilias   e otras abstinencias,
    guardávase de yerros   e de todas fallencias;
    non falsarié por nada   las puestas conveniencias.

42 El bispo de la tierra   oyó dest buen christiano,
    por quanto era suyo   tóvose por loçano;
    mandól prender las órdenes,   diógelas con su mano,
    fue en pocos de tiempos   fecho missacantano.

43 Cantó la sancta missa   el sacerdot novicio,
    iva onestamientre   en todo su oficio,
    guardava su eglesia,   facié a Dios servicio,
    non mostrava en ello   nin pereza nin vicio.

44 Tal era como plata,   moço quatrogradero;
    la plata tornó oro   quando fue pistolero,

39a   La lectura en voz alta y la música litúrgica representaban las dos artes
básicas del clero.
39d   La imagen metafórica «meollo/corteza» se encuentra también en los *Milagros de Nuestra Señora*, v. 16c.
41d   Fórmula extraída del lenguaje jurídico.
42b   "porque pertenecía a su diócesis, se alegró".
42d   *missacantano*, "sacerdote, ordenado de misa".
44a   *quatrogradero*, que ha recibido los cuatro grados menores: ostiario, lector,
exorcista, acólito.
44b   *pistolero*, forma aferética por *epistolero*, "lector de epístola".

el oro, margarita   en evangelistero,
quando subió a preste   semejó al lucero.

45 Toda Sancta Ecclesia   fue con él enxalçada,
e fue toda la tierra   por élli alumbrada;
serié Cañas por siempre   rica e arribada,
sin élli non oviesse   la seíja cambiada.

46 Castigava los pueblos,   el padre ementado,
acordava las yentes,   partiélas de pecado,
en visitar enfermos   non era embargado,
si podié fer almosna   faziéla de buen grado.

47 Contendié en bondades   ivierno e verano,
qui gelo demandava   daval consejo sano;
mientre el pan durava   non cansava la mano;
entenderlo podemos   que era buen christiano.

48 De quanto nos decimos   él mucho mejor era,
por tal era tenido   en toda la ribera;
bien sabié al dïablo   tenerli la frontera,
que non lo engañasse   por ninguna manera.

49 El preste benedicto,   deque fue ordenado,
sovo año e medio   allí do fue criado;
era del pueblo todo   querido e amado,
pero por una cosa   andava conturbado.

44c *evangelistero:* "lector del evangelio".

44d *preste,* para llegar al rango final —el de sacerdote— hacía falta tener una edad mínima de treinta años.

45c *arribada,* "próspera, feliz".

45d *seíja,* "sede, morada". Los dos últimos versos significan que la villa de Cañas hubiera podido alcanzar notable fama si el santo hubiese permanecido en ella.

47a *ivierno e verano,* "siempre, en todo tiempo". El sintagma "ivierno e verano", para expresar un tiempo indefinido, pertenece a la categoría de los tópicos estilísticos.

48b *la ribera,* se refiere a la ribera del río Tuerto que pasa por Cañas.

48c "bien sabía tener el diablo a raya".

50 Fue las cosas del sieglo   el bon omne asmando,
   entendió como ivan   todas empeyorando;
   falsedat e cobdicia   eran fechas un vando,
   otras muchas nemigas   a ellas acostando.

51 Dicié: "Aï, ¡mesquino!   si non cambio logar,
   lo que yo non querría   avré a cempellar;
   el lino cab el fuego   malo es de guardar,
   suelen grandes peligros   de tal cosa manar.

52 Si yo peco en otri,   de Dios seré reptado;
   si en mí peccar otri,   temo seré culpado;
   más me vale buscar   logar más apartado,
   mejor me será esso   que bevir en poblado.

53 Los que a Dios quisieron   dar natural servicio,
   por amor que pudiessen   guardarse de tot vicio,
   essa vida ficieron,   la que yo fer cobdicio,
   si guardarme quisiere   el Don que dixo: «Sicio».

54 En los primeros tiempos   nuestros antecessores,
   que de Sancta Eglesia   fueron cimentadores,
   de tal vida quisieron   facerse sofridores,
   sufrieron sed e fambre,   eladas e ardores.

55 Sant Joham el Baptista,   luego en su niñez,
   abrenunció el vino,   sizra, carne e pez,
   fuxo a los desiertos,   onde ganó tal prez
   qual non dizrié nul omne,   nin alto nin refez.

51b *cempellar,* "afrontar, luchar".
51c Frase proverbial de derivación bíblica (*Isaías,* 42, 3; *Mateo,* 12, 20).
53b *por amor que,* "a fin de que".
53c *el Don que dixo: «Sicio»,* o sea, Jesucristo. Cfr. *Juan,* 19, 28: "Postea sciens Jesus quia omnia consummata sunt, ut consummaretur Scriptura, dixit: «Sitio»".

56 Antonio el buen padre   e Paulo su calaño,
el que fue, como dicen,   primero ermitaño,
visquieron en el yermo,   un desierto estraño,
non comiendo pan bueno,   nin vistiendo buen paño.

57 Marí la Egipciaca,   pecatriz sin mesura,
moró mucho en yermo,   logar de grand pavura,
redimió sus pecados,   sufriendo vida dura;
qui vive en tal vida   es de buena ventura.

58 El confessor precioso   que es nuestro vecino,
San Millán el caboso   de los pobres padrino,
andando por los yermos,   y abrió el camino,
por ond subió al cielo,   do non entra merino.

59 El su maestro bueno,   San Felices clamado,
qui iazié en Billivio   en la cueva cerrado,
fo ermitaño vero,   en bondad acabado;
el maestro fue bueno   e nudrió buen criado.

56a   *Antonio... Paulo,* San Antonio Abad (251-356), llamado también el Ermitaño, uno de los fundadores del monasticismo de Egipto: *Paulo,* San Pablo de
Tebas, muerto hacia 347, amigo de San Antonio. Hay varias leyendas sobre estos
dos santos ermitaños, como, por ejemplo, la de un cuervo que les traía pan y la
de unos leones que cavaron la sepultura para San Pablo, que murió primero.
57a   Santa María Egipciaca, nacida a mediados del siglo IV, fue prostituta en
Alejandría. Durante un viaje a Jerusalén se arrepintió de su modo de vivir y se
retiró al desierto a hacer penitencia. Entre otros, un poema de juglaría del
siglo XIII nos ofrece un perfil detallado de sus experiencias (*La vida de Santa
María Egipciaca,* traducida por un juglar anónimo hacia 1215).
58b   San Millán, el héroe de la *Vida de San Millán* del mismo Berceo. Santo
patrón del monasterio de San Millán de la Cogolla.
58d   *merino*: funcionario en las provincias que tenía poder ejecutivo, vigilando
la ejecución de las sentencias de los jueces ordinarios y al cual se podía apelar
de las sentencias de éstos. La antipatía de Berceo a los merinos refleja la actitud
hacia esta categoría de jueces en la Edad Media.
59ab   San Felices, ermitaño del castillo de Bilivio (antiguo lugar cerca de Haro
situado sobre un risco elevado a la derecha del Ebro) en donde murió (fines del
siglo V) y fue sepultado y venerado hasta el año 1090 en que sus reliquias fueron
trasladadas a San Millán. Era el maestro de San Millán, según se advierte
en 59d.

60 Essos fueron sin dubda   omnes bien acordados,
    qui por salvar las almas   dexaron los poblados,
    visquieron por los yermos,   mesquinos e lazrados,
    por ent facen virtudes,   onde son adorados.

61 Muchos fueron los padres   que ficieron tal vida,
    iacen en Vitas Patrum   dellos una partida,
    toda gloria del mundo   avién aborrecida,
    por ganar en los cielos   alegría complida.

62 El Salvador del mundo,   que por nos carne priso,
    deque fo bateado,   quando ayunar quiso,
    pora nos dar enxiemplo   al deserto se miso;
    ende salió el demon,   mas fo ent mal repiso.

63 Los monges de Egipto,   compañas benedictas,
    por quebrantar sus carnes   fácense heremitas,
    tienen las voluntades   en coraçón más fitas;
    fueron de tales omnes   muchas cartas escriptas.

64 Yo, pecador mesquino,   en poblado ¿qué fago?
    bien como e bien bevo,   bien visto e bien yago,
    de bevir en tal guisa,   sabe Dios, no me pago,
    ca trae esta vida   un astroso fallago.”

65 El sacerdot precioso,   en qui todos fiavan,
    desamparó a Cañas,   do mucho lo amavan,
    parientes e amigos,   que mucho li costavan;
    alçóse a los yermos,   do omnes non moravan.

66 Quando se vido solo,   del pueblo apartado,
    folgó como si fuesse   de fiebre terminado;

61b Las *Vitae Patrum*, colección de relatos y sentencias sobre la vida de los
Padres del desierto y otros santos, empezaron a redactarse en el siglo VI.
62d *mas fo ent mal repiso,* “pero fue por esto mal arrepentido”.
63d Nueva referencia a las *Vitae Patrum.*

rendié gracias a Christo   que lo avié guiado,
non tenié, bien sepades,   pora cena pescado.

67 El hermitaño nuevo   diose a grand lacerio,
faciendo muchas prieces,   reçando su salterio,
diciendo bien sus oras,   todo su ministerio,
dávalis a las carnes   poco de refrigerio.

68 Sufriendo vida dura,   iaciendo en mal lecho,
prendié el omne bueno   de sus carnes derecho;
el mortal enemigo   sediél en su asecho,
destas aflictïones   avié él grand despecho.

69 Porque facié mal tiempo,   cayé fría elada,
o facié viento malo,   oriella destemprada,
o niebla percodida,   o pedrisca irada,
él todo est lacerio   no lo preciava nada.

70 Sufrié fiero lacerio   las noches e los días,
tales como oyestes   en otras fantasías;
mas él, el buen christiano   sucessor de Helías,
no lo preciava todo   quanto tres chirivías.

71 Cuntió grand negligencia   a los que lo sopieron,
el logar do estido,   que no lo escrivieron,
o creo por ventura   que no lo entendieron,
quan se cambiava siempre,   ende no lo dixieron.

72 Doquier que él estido,   en val o en poblado,
era por el su mérito   el logar más onrado,

68c   *sediél,* "le estaba".
69b   *oriella,* "viento furioso, huracanado".
69c   *niebla percodida,* "niebla mala, infecta".
70c   Para la vida de Helías en el yermo, véase *Reyes I,* 17, 5-7.
71a   *cuntió,* "aconteció, ocurrió".
71bd   En efecto, la fuente latina de la *Vida de Santo Domingo* de Berceo (o sea, la *Vita Dominici Siliensis,* del monje Grimaldus) no precisa el lugar.

ca por el omne bono,   como diz el tractado,
e por el confessor   es el logar sagrado.

73 Año e medio sovo   en la ermitañía,
dizlo la escriptura,   ca yo non lo sabía;
quando no lo leyesse,   decir no lo querría,
en afirmar la dubda   grand pecado avría.

74 Todos los sus lacerios,   todas las tentaciones,
non lo sabrién decir   los que leyen sermones,
sinon los que sufrieron   tales tribulaciones,
e passaron por ellas   con firmes coraçones.

75 Orava el bon omne   de toda voluntad,
a Dios que defendiesse   toda la christiandad,
diesse entre los pueblos   pan e paz e verdad,
temporales temprados,   amor e caridad.

76 Orava a enfermos   que diesse sanidad,
a los encaptivados   que diesse enguedad,
e a la yent pagana   tolliesse podestad
de fer a los christianos   premia e crueldad.

77 Orava muy afirmes   al su Señor divino,
a los ereges falsos,   que semnan mal venino,
que los enrefiriesse,   cerrasslis el camino,
que la fe non botasse   la fez de su mal vino.

72cd   Referencia concreta a la fuente latina que en el capítulo primero (17-
18) dice: "quia sacra veracique Scriptura probatur quod a loco habitator non
sanctificatur, sed locus a sancto habitatore consecratur".

73bc   El respeto por lo que dice la «letra escrita» está relacionado con elementos tópicos del mester de clerecía.

74b   *los que leyen sermones*, "los predicadores". Categoría a la que, posiblemente, pertenecía el mismo Berceo en calidad de relator y divulgador de las gestas
del santo.

75d   *temporales temprados*, "lluvias regulares, moderadas".

76b   *enguedad*, "libertad"; del castellano antiguo *vengo*, «libre», evolución de
ingenuus.

77c   *enrefiriesse*, "ahuyentase".

77d   "la hez del mal vino (de los herejes) no embotara la fe". Tal vez esta
frase se relacione con *Mateo*, 27, 34: "Et dederunt ei vinum bibere cum felle
mixtum".

78 Orava a menudo a Dios por sí meísmo,
   que El que era Padre e luz del Christianismo,
   guardásselo de yerro e de mortal sofismo,
   por no perder el pacto que fiço al baptismo.

79 Non se li olbidava orar por los passados,
   los que fieles fueron, murieron confessados;
   por otros sus amigos que tenié señalados,
   dicié el omne bono Pater Nostres doblados.

80 Señor Sancto Domingo, usado de lacerio,
   non dava a sus carnes de folgar nul remedio,
   visco en esta vida un año e medio,
   sabet que poco vicio ovo en est comedio.

81 Por amor que viviesse aún en mayor premia,
   que non ficiesse nada, a menos de licencia,
   asmó de ferse monge, e fer obedïencia,
   que fuesse bien travado fora de su potencia.

82 No lo tenga ninguno esto a liviandad,
   nin que menoscabó de la su sanctidad,
   ca en sí ovo siempre complida caridad,
   qui en poder ageno metió su voluntad.

83 Descendió de los yermos el confessor onrado,
   vino a San Millán, logar bien ordenado;
   demandó la mongía, diérongela de grado;
   fo bien si acordasse la fin a est estado.

80d *en est comedio,* "en este período".
83bc Santo Domingo llegó al monasterio de San Millán en 1033 y el abad
de San Millán que le impuso el hábito benedictino fue don Sancho de Nájera,
muerto hacia 1034.

84 Apriso bien la orden   el novel cavallero,
   andando en conviento,   exo muy buen claustrero,
   manso e abenido,   sabroso compañero,
   homilloso en fechos,   en dichos verdadero.

85 Grado bueno a Dios   e a Sancta María,
   non abinié nul monge   mejor en la mongía;
   lo que dicié la regla   facié él toda vía,
   guardava bien la orden,   sin ninguna folía.

86 Señor Sancto Domingo,   leal escapulado,
   andava en la orden   como bien ordenado,
   los ojos apremidos,   el capiello tirado,
   la color amariella   como ome lazrado.

87 Quequiere que mandava   el su padre abad,
   o prior o prepuesto   de la socïedad,
   obedecié el luego   de bona voluntad,
   teniéngelo los bonos   a bona christiandad.

88 En claustra ni en coro,   ni en otro lugar
   que vedava la regla,   él non querié fablar;
   quiquiere que en cierto   lo quisiesse buscar,
   fosse a la eglesia,   acerca del altar.

89 Si *ad opera manum*   los mandavan exir,
   bien sabié el bon omne   en ello abenir,
   por nulla jonglería   non lo farién reír,
   nin liviandad ninguna   de la boca decir.

84c   *manso,* juego paronomástico con el patronímico del santo (cfr. 7b).

88b   La regla de San Benito prohíbe hablar durante las comidas, el descanso de mediodía y en otras distintas ocasiones.

89a   *ad opera manum,* según las disposiciones de la regla de San Benito que afirman: «Otiositas inimica est animae; et ideo certis temporibus occupari debent fratres in labore manuum...».

89c   *jonglería,* «juglaría, gracia de juglares». Reflejo de una polémica entre "mesteres": clerecía en contra de juglaría.

90 Porque era tan bono, el fraire tan onesto,
   e la obedïencia lo trovava tan presto,
   e de tan bona guisa era todo su gesto,
   algunos avié dellos que les pesava esto.

91 Si los otros sus fradres lo quisiessen sofrir,
   élli de la eglesia nunquan querrié exir,
   las noches e los días y los querrié trocir,
   por salvar la su alma, al Criador servir.

92 A él catavan todos como a un espejo,
   ca yacié grand tesoro so el su buen pellejo;
   por padre lo catavan, essi sancto concejo,
   foras algún maliello que valié poquellejo.

93 Ante vos lo dixiemos, si bien vos remembrades,
   que serié luenga soga decir las sus bondades;
   movamos adelante, si nos lo aconsejades,
   ca aún mucho finca, más de lo que coidades.

94 El abad de la casa fabló con su conviento,
   asmaron una cosa, ficieron paramiento
   de ensayar est omne, quál era su taliento,
   si era tal por todo qual al demostramiento.

95 Dixieron: "Ensaémoslo, veremos qué tenemos,
   quando lo entendiéremos más seguros seremos,
   ca diz escriptura e leerlo solemos,
   que oímos la lengua mas el cuer non sabemos.

91b *élli,* "él"; variante del antiguo *elle.* Es forma frecuente en Berceo y en el dialecto riojano de los siglos XIII y XIV.
91c *trocir,* "pasar".
93a El autor remite a la estrofa 33.
95cd La referencia es doble: por un lado, a Grimaldus y a su *Vita Dominici Siliensis,* y, por otro, a las Sagradas Escrituras, especialmente *Marcos,* 7, 6, y *Reyes I,* 16, 7.

96 Mandémosli que vaya   a alguna degaña,
   que sea bien tan pobre   como pobre cabaña,
   si fer no lo quisiere   o demostrare saña,
   allí lo entendremos   que trae mala maña."

97 Cerca era de Cañas,   e es oï en día,
   una casa por nombre   dicha Sancta María;
   essa era muy pobre,   de todo bien vazía;
   mandáronli que fosse   prender essa balía.

98 Consintió el bon omne,   non desvïó en nada,
   fiço el inclín luego,   la bendición fo dada,
   oró al cuerpo sancto   oración brevïada,
   dixo palabras pocas,   raçón bien acordada.

99 "Señor —dixo— que eres   de complido poder,
   que a los que bien quieres   no los dexas caer,
   Señor, tú me ampara,   cáyate en placer
   que lo que he lazrado   no lo pueda perder.

100 Siempre cobdicié esto,   e aún lo cobdicio,
    apartarme del sieglo,   de todo su bollicio,
    vevir so la tu regla,   morir en tu servicio;
    Señor, merced te clamo   que me seas propicio.

101 Por ganar la tu gracia   fizi obedïencia,
    por vevir en tormento,   morir en penitencia;
    Señor, por el tu miedo   non quiero fer fallencia,
    sinon, no ixiría   de esta mantenencia.

102 Señor, yo esto quiero   quanto querer lo devo,
    si non, de mi faría   a los dïablos cevo;

96a   *degaña,* pequeña finca monástica.
97ab   Santa María de Cañas era un monasterio muy antiguo que fue dado al
cenobio de San Millán en 924 o 927 por el rey de Navarra don García y su
madre, doña Toda.
101d   *mantenencia,* "observancia monacal".

contra la aguijada   cocear no me trevo,
tú sabes esti baso   que sin grado lo bevo.

103 Quiero algún servicio   facer a la Gloriosa,
creo bien e entiendo   que es onesta cosa,
ca del Señor del mundo   fue madre e esposa,
plazme ir a la casa   enna qual ella posa."

104 Ixo del monesterio   el señor a amidos,
despidióse de todos   los sus fraires queridos;
los que bien lo amavan   fincavan doloridos,
los que lo bastecieron   ya eran repentidos.

105 Fue a Sancta María   el barón benedicto,
non falló pan en ella   nin otro ningún victo;
demandava almosna   como romero fito,
todos li davan algo,   qui media, qui çatico.

106 Con Dios e la Gloriosa   e la creencia sana,
viniéli buena cosa   de offrenda cutiana;
de noche era pobre,   rico a la mañana,
bien partié la ganancia   con essa yent christiana.

107 El barón del buen seso   por la leï complir,
queriendo de lazerio   de sus manos vevir,
empeçó a labrar   por dexar el pedir,
que era grave cosa,   pora él, de sofrir.

102c   Expresión metafórica extraída de las Sagradas Escrituras: "Durum est tibi contra stimulum calcitrare" (*Hechos,* 9, 5).

102d   Alusión explícita a las palabras de Cristo: "Calicem quem dedit mihi pater, non bebam illum?" (*Juan,* 18, 11).

103d   *enna,* "en la".

104a   *a amidos,* "de mala gana".

105c   *romero fito,* "romero importuno". La imagen del peregrino importuno aparece en varias frases proverbiales de la época. Cfr., por ejemplo, *Libro de buen amor,* 869ab: "Sé que bien diz verdat vuestro proverbio chico / que el romero hito siempre saca çatico".

107ad   La regla de San Benito, como se sabe, exige el trabajo manual al lado de las obras espirituales: "Quia tunc vere monachi sunt si labore manuum suarum vivunt, sicut et patres nostri et Apostoli".

108 Mejoró en las casas,   ensanchó heredades,
    compuso la eglesia,   esto bien lo creades,
    de libros e de ropas   e de muchas bondades;
    sufrió en est comedio   muchas adversidades.

109 Yo Gonçalo que fago   esto a su onor,
    yo la vi, assí veya   la faz del Criador:
    una chica cocina,   assaz poca lavor,
    retraen que la fiço   essi buen confessor.

110 Fue en pocos de años   la casa arreada,
    de lavor, de ganados,   asaz bien aguisada,
    ya trobavan en ella   los mesquinos posada;
    por él fue, Deo gracias,   la eglesia sagrada.

111 Convertió a su padre,   fíçolo fradrear,
    ovo ennas sus manos   en cabo a finar;
    soterrólo el fijo   en es mismo fossar,
    pésame que non somos   certeros del logar.

112 La madre que non quiso   la orden recebir,
    non la quiso el fijo   a casa aducir,
    ovo en su porfidia   la vieja a morir;
    Dios aya la su alma   si lo quiere oír.

113 Dexemos al bon omne   folgar en su posada,
    ministrar a los pobres,   élli con su mesnada;

108a *casas,* el uso del plural (cfr., anteriormente, «una *casa* por nombre dicha Sancta María», v. 97b) quizá esté determinado por la idea de expansión incluida en la frase siguiente «ensanchó heredades».

109b *yo la vi,* eso sin duda, puesto que el pueblo natal de nuestro poeta, Berceo, está a una distancia de dos kilómetros de Cañas.

111a *convertió,* "apartó de los pecados del mundo".

112ad La fuente latina añade que, a pesar de todo, el santo dio a su madre honrosa sepultura.

    demos al monesterio   de Samillán tornada,
    ca aún no es toda   la cosa recabdada.

114 El abat de la casa,   como omne senado,
    metió en esto mientes,   tóvose por errado,
    por tal omne com éste   seer tan apartado,
    por qui el monesterio   serié más ordenado.

115 Aplegó su conviento,   trataron esta cosa,
    vidieron que non era   apuesta nin fermosa,
    tan perfecto christiano,   de vida tan preciosa,
    facerle degañero   en degaña astrosa.

116 Dixieron todos: "Plaznos   que venga al conviento,
    todos avemos d'ello   sabor e pagamiento,
    conocemos en élli   de bondad complimiento,
    d'él nunqua recibiemos   ningún enojamiento."

117 Embïaron por élli   luego los compañeros,
    rogar non se dexaron   mucho los mesajeros,
    obedeció él luego   a los dichos primeros,
    abriéronli las puertas   de grado los porteros.

118 Entró al cuerpo sancto,   fiço su oración,
    desend subió al coro   prender la bendición,
    ovieron con él todos   muy grand consolación,
    como con compañero   de atal perfección.

119 El perfecto christiano   de la grand pacïencia,
    tan grand amor cogió   conna obedïencia,
    que por todas las muebdas,   por toda la sufrencia,
    nunqua moverse quiso   a ninguna fallencia.

114a En aquel entonces (h. 1036), el abad de Silos se llamaba García.
115d *degañero,* decano que rige una degaña (cfr. 96a).
118a *cuerpo sancto,* las reliquias de San Millán en su monasterio.
119b *conna,* "con la".
119c *muebdas,* "movidas": los sufrimientos y las tribulaciones del santo.

120 Dioli tamaña gracia   el Reï celestial
que ya non semejava   creatura mortal,
mas o ángel o cosa   que era spirital,
e que bivié con ellos   en figura carnal.

121 En logar de la regla   todos a él catavan,
en claustra o en coro   por él se cabdellavan,
los dichos que dicié   melados semejavan,
como los que de boca   de Gregorio manavan.

122 Porque era tan bono,   de todos mejorado,
el abat de la casa   dioli el priorado;
querriélo, si pudiesse,   escusar de buen grado,
mas decir: "No lo quiero",   teniélo por pecado.

123 Tovo el priorado,   dizlo el cartelario,
como pastor derecho,   non como mercenario;
al lobo maleíto,   de las almas contrario,
teniélo reherido   fuera del sanctüario.

124 Muchas cosas que eran   malamient trastornadas,
fueron en buen estado   por est prior tornadas;
el abad si andava   fuera a las vegadas,
non trobava las cosas   al torno peyoradas.

125 ¡Beneíta la claustra   que guía tal cabdiello!
¡Beneíta la grey   que ha tal pastorciello!

121d   *Gregorio,* alude a San Gregorio Magno (540-604) que fue autoridad para los autores medievales, especialmente por sus *Moralia.*

123a   *cartelario,* "códice escrito", con referencia a la *Vita* de Grimaldus.

123bd   Comparación sacada del Evangelio de Juan (10, 11-13): "Ego sum pastor bonus. Bonus pastor animam suam dat pro ovibus suis. Mercenarius autem, et qui non est pastor, cuius non sunt oves propriae, vidit lupum venientem et dimittit oves, et fugit; et lupus rapit et dispergit oves. Mercenarius autem fugit, quia mercenarius est, et non pertinet ad eum de ovibus."

De atal castellero feliz es el castiello,
con tan buen portellero feliz es el portiello.

126 Una cosa me pesa mucho de coraçón,
que avemos un poco a cambiar la raçón;
contienda que li nasco al precioso barón,
por que passó la sierra e la fuend de Gatón.

127 El reï don García, de Nágera señor,
fijo del rey don Sancho, el que dicen mayor,
un firme cavallero, noble campeador,
mas pora Samillán podrié seer mejor.

128 Era de bonas mañas, avié cuerpo fermoso,
sobra bien raçonado, en lides venturoso,
fiço a mucha mora bibda de su esposo;
mas avié una tacha, que era cobdicioso.

129 Fizo, sin otras muchas, una cavallería,
conquiso Calaforra, siella de bispalía,
ganóli su eglesia a la Virgen María,
dioli un grand servicio a Dios en essi día.

130 El reï don Fernando, que mandava León,
Burgos con la Castiella, Castro e Carriön,

126d   *fuend de Gatón,* el manantial de donde nace el arroyo Gatón (en la Sierra
de San Lorenzo, en la Rioja Alta). Este pequeño río desemboca en el Najerilla
cerca de Mansilla. Constituye una primera alusión al recorrido que tendrá que
realizar el santo para llegar al convento de Silos.

127a   *don García,* García de Nágera, primogénito de don Sancho el Mayor,
rey de Navarra. A la muerte del padre, en la repartición de los estados, le co-
rrespondió el trono de Navarra. Reinó desde 1035 hasta 1054, cuando es vencido
en Atapuerca en lucha contra su hermano Fernando I. Desde entonces, Nájera
pasó a poder de Castilla.

129b   García de Nájera conquistó Calahorra y restauró su obispado y la ca-
tedral de Santa María en abril de 1045.

130a   *don Fernando,* Fernando I, conde de Castilla y rey de León (1032-1065),
también hijo de Sancho el Mayor.

ambos eran ermanos,   una generación,
era de los sus regnos   monte d'Oca mojón.

131 Vino a Sant Millán,   moviólo el pecado,
por qual cueta que era,   vinié desaborgado;
demandó al conviento,   quando fue albergado,
bien gelo entendieron   que non vinié pagado.

132 "Abad —dixo el rey—   quiero que me oyades,
vos e vuestro conviento,   los que aquí morades,
por qué es mi venida   quiero que lo sepades,
escusar non vos puedo,   quiero que me valades.

133 Contarvos mi facienda   serié luenga tardança,
ca las raçones luengas   siempre traen ojança,
abrevïarlo quiero   e non fer allongança,
quiero de los thesoros   que me dedes pitança.

134 Mis avuelos lo dieron,   cosa es verdadera,
esto e lo ál todo   de la saçón primera;
presten a mí agora,   cosa es derechera,
aun los pecharemos   por alguna manera."

135 El abad e sus fraires   fueron mal espantados,
nol recudié ninguno   tant eran desarrados;
el prior entendiólo   que eran embargados,
recudióli e dixol   unos dichos pesados.

136 "Rey —diz— merced te pido   que sea ascuchado,
lo que decirte quiero   non te sea pesado;

130d *monte d'Oca,* en la cordillera Ibérica al este de Burgos era la frontera antigua entre Castilla y Navarra.
131b *vinié desaborgado,* "venía de mal talante, desabrido".
133b "porque los largos discursos traen siempre fastidio".
133d *pitança,* "limosna". Las pruebas de las exacciones del rey García se encuentran en varios documentos anteriores a su muerte.
134d *aun los pecharemos,* "no obstante los pagaremos".
135d *recudié,* "respondía".

      pero que so de todos   de seso más menguado,
      cosa desaguisada   non dizré de mi grado.

137 Tus avuelos ficieron   est sancto ospital,
      tú eres padrón dende   e señor natural,
      si esto te negássemos   fariémos muy grant mal,
      pecariemos en ello   pecado criminal.

138 Los qui lo levantaron   a la Orden lo dieron,
      metieron heredades,   thesoros ofrecieron,
      por dar a Dios servicio,   por esso lo ficieron;
      non tornaron por ello   desque lo y metieron.

139 Lo que una vegada   a Dios es ofrecido,
      nunqua en otros usos   deve seer metido;
      qui ende lo cambiasse   serié loco tollido,
      el día del Judicio   seriéli retraído.

140 Si esto por ti viene,   eres mal acordado;
      si otri te conseja,   eres mal consejado;
      reï, guarda tu alma,   non fagas tal peccado,
      ca serié sacrilegio,   un crimen muy vedado.

141 Señor, bien te consejo   que nada non end prendas,
      vive de tus tributos,   de tus derechas rendas;
      por aver que non dura   la tu alma non vendas,
      guárdate ne ad lápidem   pedem tuum, ofendas."

142 "Monge —dixo el rey—   sodes mal ordenado,
      de fablar ante rey   ¿qui vos fiço osado?

136c *pero que,* "aunque".
    137a *est sancto ospital,* los monasterios medievales tenían una hospedería ane-
xa para refugio de los peregrinos y visitantes.
    141d Son palabras del *Salmo* 91, 12: "que tu pie no hiera la piedra". Estas
palabras se repiten en la tentación de Cristo por el demonio *(Mateo,* 4, 6; *Lucas,* 4, 11).

Parece de silencio que non sodes usado,
bien creo que seredes en ello mal fallado.

143 Sodes de mal sentido, como loco fablades,
fervos he sin los ojos si mucho papeades;
mas consejarvos quiero que cállando seades,
fablades sin licencia, mucho desordenades."

144 El prior sovo firme, non dio por ello nada,
"Reï —dixo— en esto verdad digo provada,
non serié por decretos nin por leyes falsada;
tú en loguer prométesme assaz mala soldada.

145 Yo no lo mereciendo, Rey, so de ti maltrecho,
menáçasme a tuerto, yo diciendo derecho,
non deves por tal cosa de mí aver despecho;
Reï, Dios te defenda que non fagas tal fecho."

146 "Monge —dixo el rey— sodes muy raçonado,
legista semejades ca non monge travado;
non me terné de vos que so bien vendegado,
fasta que de la lengua vos aya estemado."

147 Todas estas menaças que el reï contava,
el varón beneíto nada no las preciava;
quanto él más dicié, él más se desforçava,
pesávali sobejo porque el rey pecava.

148 "Reï —dixo— mal faces que tanto me denuestas,
dices con la grand ira palabras desapuestas,

143b "os arrancaré los ojos si mucho charláis". Era la pena suprema para el
crimen de lesa majestad.
144d *loguer,* "pago, recompensa".
146d Otra pena de mutilación para el crimen de lesa majestad.

    grand carga de pecado   echas a las tus cuestas,
    que de membres agenos   quieres fer tales puestas.

149 Las erranças que dices   con la grand follonía,
    e los otros pecados   que faces cada día,
    perdónetelos Christo,   el fijo de María,
    mas de quanto te dixe   yo non me cambiaría."

150 Fabló el rey e dixo: "Don monge denodado,
    fablades com qui siede   en castiello alçado,
    mas si prender vos puedo   de fuera del sagrado,
    seades bien seguro   que seredes colgado."

151 Fabló sancto Domingo   del Criador amigo:
    "Reï, por Dios que oyas   esto que yo te digo;
    en cadena te tiene   el mortal enemigo,
    por esso te enciende   que barages comigo.

152 La ira e los dichos   adúcente grand daño,
    el dïablo lo urde   que trae grand engaño;
    embargado so mucho,   reï, del tu sosaño,
    quantos aquí sedemos   iacemos en mal baño.

153 Puedes matar el cuerpo,   la carne maltraer,
    mas non as en la alma,   reï, ningún poder;

148d "que de miembros ajenos quieras hacer tales tajadas". Con referencia a
los ojos que le quería sacar y a la lengua que le quería cortar.
    149a *follonía,* "ira, cólera".
    150c Como se sabe, los monasterios e iglesias solían tener privilegio y servían,
como lugar sagrado, para refugio de los perseguidos por la justicia.
    151d *que barages comigo,* "que riñas conmigo".
    152d "todos los que estamos aquí estamos en mal placer (en un aprieto)".
    153ab Tradicionalmente se consideran estos dos versos como el antecedente
más ilustre de los versos de Calderón: "Al Rey la hacienda y la vida / se ha de
dar; pero el honor / es patrimonio del alma, / y el alma sólo es de Dios" (*El
Alcalde de Zalamea,* I, vs. 873-876). Sin embargo, hay que tener en cuenta que
este mismo concepto se encuentra ya en la fuente latina de Berceo: "... ac dicente:
«animam a corpore potes expellere, sed expulsa, iam amplius non erit in tua
potestate, nec poteris ei quicquam boni ac mali facere". Véase nota 153cd.

dizlo el evangelio   que es bien de creer,
el qui las almas judga,   essi es de temer.

154 Reï, bien te consejo   como atal señor,
   non quieras toller nada   al sancto confessor,
   de lo que ofrecist   non seas robador,
   sinon, veer non puedes   la faz del Criador.

155 Pero, si tú quisieres   los thesoros levar,
   nos non te los daremos,   vételos tú tomar;
   si non los amparare   el padrón del logar,
   nos non podremos, rey,   contigo barajar."

156 Irado fo el rey,   sin conta e sin tiento,
   afiblóse el manto,   partióse del conviento,
   tenié que avié preso   un grand quebrantamiento,
   avié del prior solo   saña e mal taliento.

157 Fincó con su conviento   el confessor onrado,
   por todos los roídos   él non era cambiado,
   guardava so officio   que avié comendado,
   si lo ficiessen mártir   serié él muy pagado.

158 Entró al cuerpo sancto,   dixo a Samillán:
   "Oï, padre de muchos   que comen el tu pan,
   vees que es el rey   contra mí tan villán,
   non me da mayor onra   que farié a un can.

159 Señor que de la tierra   padre eres e manto,
   rógote que te pese   d'esti tan grand quebranto,

153cd Cfr. *Mateo* 10, 28: "Et nolite timere eos qui occidunt corpus, animam autem non possunt occidere: sed potius timete eum qui potest et animam et corpus perdere in gehennam".

156a *sin conta e sin tiento,* "sin medida y sin tacto".

156b *afiblóse el manto,* "abrochóse el manto". Gesto ritual para expresar ira, deprecio o dolor.

158b *que comen el tu pan,* fórmula épica que expresa relación de vasallaje.

ca yo por ti lo sufro,   señor e padre sancto,
pero por sus menaças   yo poco me espanto.

160 Confessor que partiste   con el pobre la saya,
tú non me desempares,   tú me guía do vaya,
que el tu monesterio   por mí en mal no caya,
e esti león bravo   por mí no lo maltraya.

161 Cosa es manifiesta   que es de mí irado,
e buscará entrada   por algún mal forado;
fará mal a la casa,   non temerá pecado,
ca bien gelo entiendo   que es mal enconado."

162 Como él lo asmava,   todo assí abino,
semejó en la cosa   certero adevino,
que avié a comer   pan de otro molino,
e non serié a luengas   en San Millán vecino.

163 Sóvose muy quemado,   sópose encobrir,
su voluntad non quiso   a nadi descobrir;
atendié esta cosa   a qué podrié exir,
pero él non cessava   al Criador servir.

164 El dïablo en esto   de balde nos estido,
ovo un mal consejo   aína bastecido,
demostróli al rey   un sendero podrido,
por vengar el despecho   que avié concebido.

165 Fabló con el abbat,   el reï don García:
"Abad —diz— so maltrecho   en vuestra abadía,

161d   *mal enconado,* "mal irritado, con iras".
162b   *comer pan de otro molino,* "cambiar de señor". Véase, arriba, número 158b.
165a   Abad de San Millán, en aquel entonces, era don Gómez, maestro de
García Sánchez III y muy amigo del rey.

por juego nin por vero   nunqua lo cuidaría
que yo en esta casa   repoyado seiría.

166 Afirmes vos lo digo,   quiero que lo sepades,
si del prior parlero   derecho no me dades,
levaré los thesoros,   aún las heredades,
que quantos aquí sodes   por las puertas vayades."

167 El abad non fue firme,   fue aína cambiado,
era, como creemos,   de embidia tocado;
otorgóli al rey   que lo farié de grado,
nin fincarié en casa   ni en el priorado.

168 Lo que sancto Domingo   avié ante asmado,
ya la iva urdiendo   la tela el Pecado;
fo de la prioría,   que tenié, despojado,
e fue a muy grand tuerto   de la casa echado.

169 Pusieron por escusa   que lo facién sin grado,
porque vedién que era   el rey su despagado,
e por esta manera   lo avrién amansado,
e avrié el despecho,   que tenié, olvidado.

170 Diéronli do viviesse   un pobre logarejo,
en qui podrié trovar   assaz poco consejo;
él toda esta coita   vediéla por trebejo,
reveyése en ella   como en un espejo.

165d   *repoyado,* "rechazado".
166b   "si no me haces justicia del prior deslenguado".
167ad   La estrofa consta de cinco versos en dos manuscritos de la *Vida de
Santo Domingo* (S y H). El verso añadido así suena: "Diz el reï: «Con esto, seré
vuestro pagado»" y es muy posible que no se remonte directamente al original
de Berceo.
169b   *su despagado,* "descontento con ellos".
170c   *vediéla por trebejo,* "veíala como juego".

171 Tres fueron los lugares,   assí como leemos,
    mas dó fueron o quáles   esto no lo sabemos,
    todos eran mesquinos,   entenderlo podemos,
    no li darién los ricos,   segund lo que creemos.

172 Dioli Dios bona gracia,   ca él la merecié,
    dávanli todos tanto   quanto mester avié,
    vivrié, si lo dixassen,   en esso que tenié,
    mas el mal enemigo   esso no lo querié.

173 Mas non podié el rey   oblidar el despecho,
    por buscarli achaque   andával en asecho,
    ante de medio año   echóli un grand pecho,
    cuidó por esta maña   aver d'élli derecho.

174 Díxol sancto Domingo: "Reï, ¿en qué contiendes?
    Semeja que cutiano   más mucho te enciendes;
    quiero que lo entiendas,   si bien no lo entiendes,
    semeja que tu tiempo   en balde lo espiendes.

175 Reï, tú bien lo sabes,   nunqua me diste nada,
    nin pecunia agena   non tengo comendada,
    non querría tal cosa   tenerla condesada,
    más querría partirla   entre la gent lazrada.

176 Por Dios, que no me quieras   tan mucho segudar,
    sepas de mí non puedes   nulla cosa levar,
    aun porque quisiesse   non terría qué dar,
    xugo del fuste seco   ¿quí lo podrié sacar?"

_____

171a   Según un comentarista de la *Vida de Santo Domingo,* Berceo no entendió
aquí la noticia que le proporcionaba Grimaldus: "attamen fraudulenta astutia
Tres Cellulas ad regendum ei tradidit", es decir, la referencia al lugar llamado
Tres Celdas donde se encontraba el pequeño monasterio (ahora desaparecido) de
San Cristóbal de Tobía, concedido a San Millán por el rey Sancho el Mayor
en 1014.
    173b   *por buscarli achaque,* "por buscarle pretexto, motivo, ocasión".
    173c   *echóli un grand pecho,* "le impuso un gran tributo".
    176d   Expresión metafórica y frase proverbial.

177 "Monge —dixo el rey— non sodes de creer,
    sabemos que tenedes alçado grand aver;
    quando la abadía teniedes en poder,
    bien me lo dicen todos qué soliedes facer."

178 "Reï, esto me pesa más que todo lo ál,
    sobrepónesme furto, un pecado mortal,
    yo nunca alcé proprio, nin fiz cosa atal,
    adugo por testigo al padre spiritual."

179 "Don monge —diz el rey— mucho de mal sabedes,
    lo que todos sabemos por niego lo ponedes,
    essas ipocrisías que combusco traedes,
    bien creo que en cabo amargas las veredes."

180 "Reï, —dixo el monge— si tal es mi ventura,
    que non pueda contigo aver vida segura,
    dexar quiero tu tierra por foír amargura,
    iré buscar dó viva contra Estremadura."

181 Comendóse al Padre que abre e que cierra,
    despidióse de todos, desamparó la tierra,
    metióse en carrera, atravessó la sierra,
    pora tierras de Nágera conteciól mala yerra.

182 Quando fo de las sierras el barón declinando,
    beviendo aguas frías, su blaguiello fincando,
    arribó en la corte del reï don Fernando;
    plogo al rey e dixo que le crecié grand bando.

177b *alçado grand aver,* "escondido mucho dinero".
178c "yo nunca atesoré para mí, ni nada por el estilo".
180d Extremadura significa tierras extremas del reino cristiano, es decir, las más cercanas a los moros. Hasta mediados del siglo XI se dio este nombre de Extremadura a la región entre el Duero, Aranda, Castrojeriz, Sahagún y Astorga.
181b Santo Domingo pasó a Castilla hacia 1040 ó 1041.
181c *la sierra,* referencia a la sierra de San Lorenzo donde nace el río Gatón (cfr. 126d).
181d Comentario a los trabajos que pasó por la persecución de don García.
182c *don Fernando,* cfr. nota 130a.

183 "Prior —dixo el rey— bien seades venido,
    de voluntad me place que vos he conoscido,
    con vuestra conoscencia téngome por guarido."
    Plogo con él a todos e fue bien recebido.

184 "Reï —dixo el monge— mucho te lo gradesco,
    que me das tan gran onra, la que yo non meresco,
    mas por Dios te lo pido, a quien yo obedesco,
    que recibas un ruego que yo a ti ofresco.

185 Exido so del regno do nascí e vivía,
    porque con tu ermano abenir non podía,
    ruégote que me dones una hermitañía,
    do sirva al que nasco de la Virgen María."

186 Dexemos al bon ome con el reï folgar,
    conviénenos un poco la materia cambiar,
    non podriemos sin esso la raçón acordar,
    porque nos allonguemos, bien sabremos tornar.

187 En tierras de Caraço, si oyestes contar,
    una cabeça alta, famado castellar,
    avié un monesterio, que fue rico logar,
    mas era tan caído que se querié ermar.

188 Solié de monges negros bevir y buen conviento.
    de cuyo ministerio avié Dios pagamiento,

185c *una hermitañía*, según la tradición, a Santo Domingo se le otorgó una ermita cerca de la iglesia de San Andrés en Burgos.

185e Aparece aquí otro verso supernumerario: "Plazme —dixo el rey— esto par la fe mía", quizá añadido posteriormente (cfr. nota 167ad).

186c *la raçón acordar*, "dar sentido al relato".

186d *porque*, "aunque".

187a *Caraço*, meseta de Carazo, cruzada por el río Ura o Mataviejas; es también el nombre de la región donde está Silos.

187a *si oyestes contar*, posible referencia a cantares de gesta perdidos.

188a *monges negros*, monjes de la Orden de San Benito, cuyo hábito es negro.

mas era de tal guisa   demudado el viento,
que fascas non avién   ningún sostenimiento.

189 Todo es menoscabo,   esta tan grand fallencia,
vinié por mal recabdo   e por grand negligencia,
o avié enna casa   puesta Dios tal sentencia
por a sancto Domingo   dar honorificencia.

190 Pero avié en casa   aún monges yaquantos,
que facién bona vida   e eran omnes sanctos;
estos eran bien pobres   de sayas e de mantos,
quando avién comido   fincavan non muy fartos.

191 Avié entre los otros   un perfecto christiano,
como diz el escripto,   diciénle Liciniano,
avié pesar e coita   d'este mal sobraçano,
que siempre peyorava,   ivierno e verano.

192 Entró a la eglesia,   plegó ant el altar,
declinó los inojos,   empeçó a rogar:
"Señor Dios a qui temen   los vientos e el mar,
tú torna los tus ojos   sobre esti logar.

193 Señor, a nos non cates   que somos pecadores,
que somos sin recabdo,   non bonos provisores,
miémbrete de los bonos   nuestros antecessores,
que d'esti monesterio   fueron contenedores.

194 Señor, onde que sea,   embíanos pastor,
que ponga esta casa   en estado mejor;
mal nos face la mengua,   la bergüença peor,
esto por qué abiene   tú eres sabidor.

190d *fincavan non muy fartos,* "no quedaban muy hartos", es decir, tenían
todavía hambre.
191b En efecto, el texto de Grimaldus dice: "... erat quidam monacus vene-
rabilis vite Licinianus nomine".

195 Señor San Savastián,   del logar vocación,
      mártir de Dios amado,   ode mi oración,
      tuelle d'est monesterio   esta tribulación,
      non caya la tu casa   en tan grand perdición.

196 Danos qui nos captenga,   siervo del Criador,
      qui sofrist grand martirio   por ganar su amor,
      porque nos somos malos   e de poco valor,
      non caya la tu casa   en tan grand desonor.

197 Casa que fue tan rica,   de tan grand complimiento,
      do trobavan consejo   más de cient veces ciento,
      bivién de bonos monges   en ella grand conviento;
      aína de serpientes   será habitamiento.

198 Señor, merced te clamo,   sea de ti oído,
      tan noble monesterio   non sea destroído,
      busca algún consejo,   mártir de buen sentido,
      de esta petición   con esto me espido."

199 La oración devota   fue de Dios exaudida,
      ca faciéla el monge   de voluntad complida;
      aspiró en el rey,   príncep de bona vida,
      una cosa que ante   non avié comedida.

200 Vínoli adesoras   al rey en coraçón
      de dar el monesterio   al precioso barón,
      metrié Dios en la casa   su sancta bendición,
      cessarié por ventura   aquella maldición.

195a   El monasterio de Silos y su iglesia, hasta la muerte de Santo Domingo
en 1073, llevaban la advocación de San Sebastián.
196a   *captenga,* "acaudille, capitanee".
200a   *adesoras,* "de repente".

201 El reï del buen tiento   fabló con sus barones,
con los mayores príncipes,   e con los sabidores:
"Oíd —dixo— amigos,   unos pocos sermones,
a lo que decir quiero   abrid los coraçones.

202 Todos lo entendemos,   cosa es conoscida,
la eglesia de Silos   cómo es decaída;
facienda tan granada   es tanto empobrida,
abés pueden tres monges   aver en ella vida.

203 Todo esto abiene   por los nuestros pecados,
que somos pecadores   e no nos emendamos,
solamientre en ello   cabeça non tornamos,
sepades que en esto   duramientre erramos.

204 Es por un monesterio   un regno captenido,
ca es días e noches   Dios en élli servido;
assí puede seer   un regno matraído
pora un logar bono,   si es esperdecido.

205 Si a todos ploguiesse,   terría por bien esto:
oviéssemos un omne   devoto e honesto,
e tal es mi creencia   que yo lo tengo presto,
en qui yo non entiendo   de desorden nul gesto.

206 Prior de San Millán   es entre nos caído,
omne de sancta vida   e de bondad complido,
es por qualque manera   de su tierra exido,
por Dios abino esto,   como yo so creído.

202d   *abés*, "apenas".
204ad   Se exalta aquí la eficacia de la vida monástica para atraer las bendiciones sobre el reino.
205d   "de quien yo nunca he sabido una acción desordenada".
206c   El rey don Fernando no quiere ni debe expresar (por razones políticas y diplomáticas) los hechos concretos que empujaron a Santo Domingo fuera de su tierra.

207 Serié pora tal cosa   omne bien aguisado,
     es de recabdo bono,   demás bien ordenado,
     es en quanto veemos   del Criador amado,
     vernié el monesterio   por él a su estado."

208 "Reï —dixieron— hasnos   en buen logar fablado,
     tenémostelo todos   a merced e a grado,
     entendemos que dices   consejo aguisado,
     otorgámoslo todos,   si tú eres pagado."

209 Tractaron con el bispo   todo esti consejo,
     tóvolo el obispo   por muy bono sobejo,
     non contradixo ome,   nin grand nin poquellejo,
     nin fo pesante d'ello   nin villa nin concejo.

210 Los monges de la casa,   quando lo entendieron,
     nunqua tamaño gozo   un día non ovieron,
     fueron a la eglesia,   a Dios gracias rendieron,
     el «Te Deum laudamus»   de buen cuer lo dixieron.

211 Confirmólo el bispo,   dioli ministramiento,
     desende benedíxolo,   fíçol su sagramiento,
     dioli siella e croça   todo su complimiento,
     fíçol obedïencia   de grado el conviento.

212 Quando fue acabado   todo el ministerio,
     el abad beneíto   vino al monesterio;
     sólo que de los piedes   primió el ciminterio,
     oblidaron los monges   el pasado lacerio.

209a *el bispo,* es decir, don Julián, obispo de Burgos desde 1026 hasta 1043.
209d *nin fo pesante d'ello,* "no le pesó esto".
210d *el «Te Deum laudamus»,* el conocido cántico de acción de gracias que comienza: "A ti, Dios, alabamos".
211c *croça,* "báculo pastoral".
212c *ciminterio,* en el Fuero de Silos acordado por Alfonso VII el 26 de mayo de 1135, leemos: "... ecclesia Sancti Petri que sita est in cimiterio Sancti Dominici". Adviértase que la iglesia parroquial del pueblo de Silos está justo al lado del monasterio de Santo Domingo.

213 El reï don Fernando,   de Dios sea amado,
    como lo fuera siempre   fo muy bien enseñado,
    no lo embïó solo   mas bien acompañado,
    ca embïó con élli   mucho omne onrado.

214 Embïó bonos omnes   e altas podestades,
    clérigos e calonges,   beneítos abades,
    mancebillos e viejos   de diversas edades.
    ¡Bendicho sea rey   que faz tales bondades!

215 Fo en la abadía   el barón assentado,
    con la facienda pobre   era fuert embargado,
    mas cambiólo aína   Dios en mejor estado,
    fo en bona folgura   el lazerio tornado.

216 Fo luego a las primas   la Orden reformada,
    la que por mal pecado   ya era desatada;
    cojó de compañeros   compaña mesurada,
    los que vedié que eran   de manera pesada.

217 Las noches e los días   lazrava el barón,
    días en porcalçando,   noches en oración;
    confirmava su fraires,   teniélis bien lectión,
    a grandes e a chicos   dava egual ración.

218 Los monges eran buenos,   amavan su pastor,
    metió Dios entre ellos   concordia e amor,
    non avié y entrada   el mal rebolbedor,
    qui Adam e ad Eva   bolvió con su Señor.

219 El reï don Fernando,   sea en paradiso,
    ya vedié de la casa   lo que él veder quiso;

213cd   La imaginación medieval requería la manifestación exterior, ya que un séquito numeroso y calificado daba la medida del honor y del poder.
214b   *beneítos abades,* abades de la Orden de San Benito.
217b   *en porcalçando,* "trabajando, esforzándose".
218d   *bolvió,* "enemistó".

vedié que su majuelo   naturalmientre priso,
nos tenié, Deo gracias,   d'est fecho por repiso.

220 El reï e los pueblos   dávanlis adiutorio,
unos en la eglesia,   otros en refictorio,
otros en bestïario,   otros en dormitorio,
otros en oficiero,   otros en responsorio.

221 Vedié su monesterio   todo bien recabdado,
eglesia bien servida,   convient bien ordenado;
abad de sancta vida,   de bondad acabado,
dicié entre sí misme: "Dios tú seas laudado".

222 Non vos querría mucho   en esto detener,
querría adelante   aguijar e mover,
enançar enna obra,   dándome Dios poder,
ca otras cosas muchas   avemos de veder.

223 Oído lo avedes,   si bien vos acordades,
este abbad benito,   lumne de los abbades,
quántas sufrió de coitas   e de adversidades,
por ond a passar ovo   do arto ya laszrades.

224 Porque fo siempre casto,   de bona pacïencia,
umilloso e manso,   amó obedïencia,

220c *bestïario,* "vestuario".

220d Esto parece indicar que la gente de los alrededores tomaba parte también en la liturgia.

222b *aguijar e mover,* "espolear y marchar". Fórmula juglaresca relacionada con la iniciación de la marcha a caballo.

222c *enançar,* "avanzar".

223d El segundo hemistiquio de este verso parece remitir al lugar originariamente previsto para la difusión de la *Vida de Santo Domingo* de Berceo: es decir, la ermita que se hallaba cerca de la iglesia de San Andrés en Burgos (cfr. nota 185c), a la cual concurrirían unos cuantos santiaguistas doloridos *(laszrados)* y necesitados de gracias.

en dicho e en fecho   se guardó de fallencia,
avié Dios contra élli   sobra grand bienquerencia.

225 El reï de los reyes   porque tanto sufrié,
bien gelo condesava   quanto élli facié;
por darli buen confuerto   de lo que merecié,
quísoli demostrar   quál galardón avrié.

226 El confessor glorioso,   un cuerpo tal laçrado,
durmiésse en su lecho,   ca era muy cansado;
una visïón vido   por ond fue confortado
del lacerio futuro   siquier de lo pasado.

227 Assí como leemos,   los que lo escrivieron,
de la su boca misma,   d'él misme lo oyeron,
sabemos que en ello   toda verdad dixieron,
nin un bierbo menguaron   nin otro añadieron.

228 Apartó de sus monges   los más familïares,
los que tenién en casa   los mayores logares:
"Amigos —dixo— ruégovos   com a buenos reglares,
lo que decirvos quiero   que no lo retrayades.

229 Vedíame en sueños   en un fiero logar,
oriella de un flumen   tan fiero como mar,
quiquiere avrié miedo   por a él se plegar,
ca era pavoroso   e bravo de passar.

230 Ixién d'élli dos ríos,   dos aguas bien cabdales,
ríos eran muy fondos,   non pocos regajales,

224d *contra,* "hacia, para con".

227ad En esta copla Berceo repite, adaptándolo a las circunstancias, un concepto expresado por Grimaldus en su *Vita:* "Et omne quod referemus idonei testes, si necesse fuerit vel si tantum causa increverit, ecclesiastico iure roborabunt, qui stantes ac presentes et videntes fideliter interfuerunt".

230b *non pocos regajales,* "y no pequeños arroyuelos".

blanco era el uno   como piedras cristales,
el otro plus vermejo   que vino de parrales.

231 Vedía una puente   enna madre primera,
avié palmo e medio   ca más ancha non era,
de vidrio era toda,   non de otra madera
era, por no mentirvos,   pavorosa carrera.

232 Con almátigas blancas   de finos ciclatones,
en cabo de la puent   estavan dos barones,
los pechos ofresados,   mangas e cabeçones,
non dizrién el adobo   loquele nec sermones.

233 La una d'estas ambas   tan onradas personas
tenié enna su mano   dos preciosas coronas,
de oro bien obradas,   omne non vio tan bonas,
ni un omne a otro   non dio tan ricas donas.

234 El otro tenié una   seis tantos más fermosa,
que tenié en su cerco   mucha piedra preciosa,
más lucié que el sol   tant era de lumnosa,
nunqua ome de carne   vido tan bella cosa.

235 Clamóme el primero   que tenié las dobladas,
que passasse a ellos,   entrasse por las gradas;
díxeli yo que eran   aviessas las passadas,
dixo él que sin dubda   entrasse a osadas.

_____

230d Berceo compara el color rojo del río con el vino tinto, en tanto que
Grimaldus, con la sangre. Un comentarista cree que *parrales* debe escribirse con
mayúscula porque es nombre de un campo cerca del monasterio de Silos, y que
los dos ríos del sueño pueden identificarse con otros tantos arroyos que confluyen
en un pequeño río situado en las cercanías del mismo monasterio. Pero esto supone darle demasiado crédito a las pías leyendas de los monjes del lugar.
231c *madera,* "materia", conforme con el valor estimológico de esta palabra.
232d *loquele nec sermones,* "palabras ni discursos". Alusión al «non sunt lo-
quelae neque sermones» del *Salmo* XVIII o XIX, 4.
235a *las dobladas,* "las dos coronas" del v. 233b.
235c *aviessas,* "difíciles, peligrosas".

236 Metíme por la puente,   maguer estrecha era,
    passé tan sin embargo   como por grand carrera,
    recibiéronme ellos   de fermosa manera,
    veniendo contra mí   por media la carrera.

237 «Fraire, plaznos contigo,   dixo el blanqueado,
    tú seas bienvenido   e de nos bientrobado,
    viniemos por decirte   un sabroso mandado,
    quando te lo dixiéremos   terráste por pagado.

238 Aquestas que tú vedes   coronas tan onradas,
    nuestro Señor las tiene   pora ti condesadas,
    cata que no las pierdas   quando las has ganadas,
    ca querrié el dïablo   avértelas furtadas.»

239 Díxelis yo: «Señores,   por Dios que me oyades,
    por qué viene aquesto   que vos me lo digades,
    yo non so de tal vida   nin fiz tales bondades,
    la raçón de la cosa   vos me la descubrades.»

240 «Bona raçón demandas   —dixo el mensagero—,
    a esso te daremos   responso bien certero:
    la una porque fuste   casto e buen claustrero,
    a la obedïencia   non fuste refertero.

241 La otra te ganó   mieña Sancta María,
    porque la su eglesia   consagró la tu guía,
    en el su monesterio   fecist grand mejoría,
    es mucho tu pagada,   ende te la embía.

236d *por media la carrera,* "a medio camino".
240d *refertero,* "rebelde, pendenciero".
241a *mieña,* síncopa por «mi doña, mi dueña»; muy frecuente en el castellano
medieval.
241bc Alusión a lo dicho en las coplas 97-110.
241d *es mucho tu pagada,* "está muy satisfecha de ti".

242 Esta otra tercera   de tan rica facienda,
    por esti monesterio   que es en tu comienda,
    que andava en yerro   como bestia sin rienda,
    has tú sacado ende   pobreça e contienda.

243 Si tu perseverares   en las mañas usadas,
    tuyas son las coronas,   ten que las as ganadas;
    avrán por ti repaire   muchas gentes lazradas,
    que vernán sin consejo,   irán aconsejadas.»

244 Luego que me ovieron   esta raçón contada,
    tolliéronseme d'ojos,   non podí veer nada;
    desperté e signéme   con mi mano alçada,
    tenía, Dios lo sabe,   la voluntad cambiada.

245 Pensemos de las almas,   fraires e compañeros,
    a Dios e a los omnes   seamos verdaderos;
    si fuéremos a Dios   leales, derecheros,
    ganaremos corona   que val más que dineros.

246 Por esti sieglo pobre   que poco durará,
    non perdamos el otro   que nunqua finará.
    Mesquindad por riqueza   ¿quí no la cambiará?
    Qui buscarla quisiere   rehez la trobará.

247 Demás bien vos lo ruego,   pídovoslo en don,
    que yaga en secreto   esta mi confessión,
    non sea descubierta   fata otra sazón,
    fasta salga mi alma   d'esta carnal presón".

248 Señor sancto Domingo,   lumne de las Españas,
    otra vido sin éstas   visïones estrañas,
    mas non gelas oyeron   fraires de sus compañas,
    ca celadas las tovo   dentro en sus entrañas.

242b Es decir, el monasterio de Silos.
243c *repaire*, es un provenzalismo; significa «refugio, protección, amparo".

249 Por estas visïones   que Dios li demostrava,
    ninguna vanagloria   en él non encarnava,
    por servir a don Christo   más se escalentava,
    a otras vanidades   cabeça non tornava.

250 Assaz querié la carne,   el dïablo con ella,
    tollerlo del buen siesto,   meterlo a la pella;
    no lo pudieron fer,   ond avién grand querella,
    porque del sol tan cerca   sedié esta estrella.

251 Del ruego que dixiera   a los sus compañeros,
    que no lo descubriessen,   fóronli derecheros
    foron mientre él visco   bonos poridaderos,
    non querién del su padre   exir por mestureros.

252 Señor sancto Domingo,   confessor tan onrado,
    deve a San Martino   seer apareado,
    que vido a don Christo   del manto abrigado,
    el que él dado ovo   al mesquino lazrado.

253 El confessor glorioso,   digno de adorar,
    en todas las maneras   lo quiso Dios onrar,
    en todos los oficios   lo quiso eredar,
    por en el paraíso   mayor gloria li dar.

254 Enna saçón primera   fo pastor de ganado,
    un oficio que era   essi tiempo usado,
    densend apriso letras,   fo preste ordenado,
    maestro de las almas,   discreto e temprado.

250b *meterlo a la pella,* "traerlo como pelota" y, por consiguiente, "morti-
ficarlo".

251c *bonos poridaderos,* "buenos guardadores de secreto".

252b *San Martino,* San Martín, nombrado obispo de Tours en el año 370.
Según la tradición, cuando oficial joven en el ejército romano, dio la mitad de
su capa a un pobre desnudo.

254/259 Estas coplas, que se hallan situadas en un lugar estratégico del texto
(hacia el final de la primera parte), recogen sintéticamente todo lo dicho sobre
la vida del santo en este primer apartado.

255 Después fo ermitaño   en que fo muy lazrado,
    biviendo por los yermos,   del pueblo apartado,
    vediendo malos gestos,   mucho mal encontrado,
    do sufrió más martirio   que algún martiriado.

256 Desend entró en Orden,   fiço obedïencia,
    puso todo su pleito   en agena potencia;
    provó como tan bono,   fo de tal pacïencia
    como si lo oviesse   preso en penitencia.

257 Aún de la mongía   subió en mayor grado,
    el abbad de la casa   dioli el priorado;
    todo vos lo avemos   dicho e renunçado,
    en quál fuego se vio,   cómo fue socarrado.

258 En cabo el bon omne,   pleno de sanctidad,
    porque fosse complido   de toda dignidad,
    quísolo Dios que fuesse   electo en abad;
    el elector en ello   non erró de verdad.

259 Sin todas estas onras   que avié recebidas,
    dioli Dios otras gracias   onradas e complidas,
    de veer visïones,   personas revestidas,
    oír tales promessas   quales vos he leídas.

260 Aún sin esta toda   tan luenga ledanía,
    diéronli otro precio   Dios e sancta María:
    pusieron en su lengua   virtud de prophecía,
    ca prophetó sin dubda,   esto por conocía.

261 Por amor que creades   que vos digo verdad,
    ,quiérovos dar a esto   una auctoridad;
    como fo él propheta,   fabló certanedad,
    por ond fo afirmada   la su grand sanctidad.

259d *quales vos he leídas*, posible indicio de una presentación oral de la obra.
260d *por conocía*, "seguramente, por sabido".

262 San Vicent avié nombre   un mártir ancïano,
    Sabina e Cristeta,   de ambas fo ermano,
    todos por Dios murieron   de vïolenta mano,
    todos iazién en Ávila,   non vos miento un grano.

263 El reï don Fernando   siempre amó bondad,
    e metié en complirlo   toda su voluntad,
    asmó de trasladarlos   a mejor sanctidad,
    e metelos en tumbas   de mejor onestad.

264 Asmó un buen consejo   essa fardida lança,
    traerlos a San Pedro   que dicen de Arlança;
    con esse buen conviento   avrién mejor fincança,
    serién mejor servidos   sin ninguna dubdança.

265 Contra tierras de Lara,   faz a una contrada,
    en río de Arlança,   en una renconada,
    iaze un monesterio,   una casa onrada,
    San Pedro de Arlança   es por nombre clamada.

262ab   Los santos Vicente, Sabina y Cristeta padecieron el martirio hacia el
año 304, en tiempos de los emperadores Diocleciano y Maximiano.
262d   Recuérdese que los árabes destruyeron Ávila hacia el año 715 y que
dicha ciudad no fue repoblada hasta el año 1090.
263d   *metelos,* por «meterlos». Así en todos los testimonios de este poema de
Berceo.
264a   *fardida lança,* véase nota al v. 29c.
264b   San Pedro de Arlanza, monasterio de benedictinos en la provincia de
Burgos, situado a unos 12 kilómetros al noroeste de Silos, en la ribera norteña
del río Arlanza, entre la sierra y el río. Su existencia parece anterior al año 912,
en que es dotado y restaurado por Fernán González y su esposa doña Sancha.
Fue reducido a ruinas por un incendio en 1894.
264cd   Berceo pone aquí de relieve el vínculo estrecho que existía entre los
monasterios de Silos y San Pedro de Arlanza.
265a   "Hacia un paraje frente al alfoz de Lara". La villa de Lara está a unos
nueve kilómetros al norte de San Pedro de Arlanza.
265b   *en una renconada,* se refiere a la ubicación de San Pedro, entre la sierra
y el río.

266 Avié un abad sancto,   servo del Criador,
    don García por nombre,   de bondad amador,
    era del monesterio   cabdiello e señor,
    la greï demostrava   quál era el pastor.

267 En visïón li vino   de fer un ministerio:
    aquellos sanctos mártires   cuerpos de tan grand precio,
    que los dessoterrasse   del viejo ciminterio,
    e que los aduxiesse   poral su monesterio.

268 Fabló él con el rey,   al que Dios dé bon poso,
    al que dicién Fernando,   un príncep muy precioso;
    tóvolo por buen seso   e por fecho fermoso,
    non fo pora complirlo   el abad pereçoso.

269 Combidó los obispos   e los provincïales,
    abbades e priores,   otros monges claustrales,
    dïáconos e prestes,   otras personas tales,
    de los del señorío   todos los mayorales.

270 Foron y cavalleros   e grandes infançones,
    de los pueblos menudos   mugeres e varones,
    de diversas maneras   eran las processiones,
    unos cantavan laudes,   otros dicién canciones.

271 Aduxieron el cuerpo   de señor San Vicent,
    e de las sus ermanas,   onrado bien e gent,
    todos cantando laudes   al Dios omnipotent
    que sobre pecadores   ha siempre cosiment.

266b   *don García,* San García de Quintanilla, abad de San Pedro de Arlanza
desde 1050 hasta su muerte en 1073.

269a   *provincïales,* los superiores provinciales de las órdenes religiosas.

270d   Berceo separa las canciones religiosas de las populares, las cantadas en
latín de las cantadas en romance.

271d   *ha siempre cosiment,* "tiene siempre merced".

272 Travessaron el Duero,   essa agua cabdal,
     abueltas Duratón,   Esgueva otro tal,
     plegaron a Arlança   acerca del ostal,
     non entrarién las gentes   en sivuelque corral.

273 Señor sancto Domingo,   el natural de Cañas,
     que nasció en bon punto,   pleno de bonas mañas,
     y binié cabdellando   essas bonas compañas,
     faciendo captenencias   que non avrién calañas.

274 Condesaron los cuerpos   otro día mañana,
     Vincencio e Sabina,   Cristeta su ermana;
     metiéronlos en tumba   firme e adïana,
     facié grand alegría   essa gent castellana.

275 En essa traslación   de estos tre ermanos,
     fueron muchos enfermos   de los dolores sanos,
     los unos de los piedes,   los otros de las manos,
     ond rendién a Dios gracias   christianas e christianos.

276 Abades e obispos   e calonges reglares,
     levaron end reliquias   todos a sus logares,
     mas el abad de Silos   e sus familïares,
     sólo no las osaron   tañer de los polgares.

277 Fo a su monesterio   el bon abad venido,
     fo de sus compañeros   mucho bien recebido,

272b *abueltas Duratón,* "junto con el río Duratón". El Duratón es afluente
del Duero, en tanto que el Esgueva corre paralelo al Duero y desemboca en el
Pisuerga. Los ríos van jalonando la ruta que traza Berceo; el orden normal de
cruzarlos en el viaje de Ávila a San Pedro de Arlanza sería: Duratón, Duero,
Esgueva.
272d *en sivuelque,* "en cualquier, en ningún".
273b *en bon punto,* "en buena hora". *En bon punto nado* es epíteto muy frecuente en los cantares de gesta.
273d "haciendo proezas inigualables".
275a Esta traslación se verificó, según testimonios fehacientes, en el año 1061.
276c *familïares,* eclesiásticos al servicio de un obispo o abad.

dixo él: "Benedícite", en voz muy bien sabrido,
dixieron ellos: "Dóminus", en son bono complido.

278 Díxoles al conviento: "Por Dios que me oyades,
saludar vos embían obispos e abades;
a rogarvos embían, por Dios que lo fagades,
en vuestras oraciones que vos los recibades."

279 "Señor —dixieron ellos— quando a ti cobramos,
a Dios rendemos gracias, más alegres estamos;
esso ál que nos dices todo lo otorgamos;
mas por una cosiella murmurantes estamos.

280 De las sanctas reliquias que a cuestas trasquiestes,
a quantos las pidieron d'ellas a todos diestes;
a vuestro monesterio d'ellas non aduxiestes,
tenemos que en esto negligencia ficiestes."

281 Fabló contra est dicho la boca verdadera,
recudió buenamientre, dio respuesta certera:
"Amigos —diz— por esto non ayades dentera,
Dios vos dará consejo por alguna manera.

282 Si vos a Dios leales quisiéredes seer,
e los sus mandamientos quisiéredes tener,
él vos dará reliquias que avredes plazer,
yo sé que non podredes en esto fallecer.

283 Si no nos lo tollieren nuestros graves pecados,
cuerpo sancto avredes que seredes pagados;
seredes de reliquias ricos e abondados,
de algunos vecinos seredes embidiados."

277cd «Bendecid» es palabra con que empieza la bendición, mientras «Señor»
es la primera palabra de la respuesta.
281c *non ayades dentera*, "no tengáis rencor".
282c *que avredes plazer*, "de las que recibiréis placer".

284 Señor sancto Domingo,   que esto lis dizié,
    profetava la cosa   que a venir avié;
    maguer lo profetava,   él no lo entendié,
    que esta prophecía   en él mismo cayé.

285 Algunos de los monges   que esto li oyén,
    esta adevinança   por nada la tenién;
    los otros más maduros,   que más seso avién,
    tenién que estos dichos   balleros non serién.

286 Demientre que él visco   todo lo pospusieron,
    mas deque fue passado   los milagros vidieron,
    membróli d'esti dicho,   estonz lo entendieron
    que las adevinanças   verdaderas ixieron.

287 En esto lo devemos,   señores, entender,
    lo que ante dixiemos   podédeslo creer,
    que fue vero propheta,   dioli Dios grand poder,
    e grand espiramiento   en dezir e en fer.

288 Señores, Deo gracias,   contado vos avemos
    de la su sancta vida   lo que saber podemos;
    desaquí aiudándonos   el Dios en qui creemos,
    esti libro finamos,   en otro contendremos.

DE LOS MIRÁCULOS QUE FIÇO EN VIDA

289 Querémosvos un otro   libriello començar,
    e de los sus milagros   algunos renunçar,

285d *balleros,* "baldíos, vanos".
287d *espiramiento,* "inspiración".
289ac Los milagros del santo durante su vida se colocan de manera pertinente en un segundo libro *(libriello),* puesto que el plan normal de las hagiografías incluye los siguientes apartados: 1) vida del santo, 2) milagros durante su vida, 3) milagros póstumos.

los que Dios en su vida   quiso por él mostrar,
cuyos joglares somos,   él nos deñe guiar.

290   Una muger de Castro,   el que dicen Cisneros,
María avié nombre   de los días primeros,
vistió sus buenos paños,   aguisó sus dineros,
exo pora mercado   con otros compañeros.

291   Alegre e bien sana   metióse en carrera,
no lo sé bien si iva   de pie o cavallera,
enfermó a sos oras   de tan fiera manera
que se fizo tan dura   como una madera.

292   Perdió ambos los piedes,   non se podié mover,
los dedos de las manos   no los podié tender,
los ojos tan turbados   que non podié veer,
ningunos de los miembros   non avién su poder.

293   Avié de su estado   demudada la boca,
fablava de la lengua   mucha palabra loca;
nin mandado nin parte   no sabié de su toca,
avién los compañeros   grand rencura, non poca.

294   Como avié los ojos   feos, la boca tuerta,
cualquiere de los braços   tal como verga tuerta,
non podrié del fogar   salir fata la puerta;
todos sus bienquerientes   querriénla veer muerta.

289d   *joglares,* funciona aquí como «topos humilitatis», puesto que para un
clérigo el término «juglar» pertenecía a la serie de los despectivos.

290a   *Castro, el que dicen Cisneros,* Grimaldus dice: "ex Vico Castro Ciniensi
orta", aludiendo al pueblo burgalés de Castro Ceniza. Berceo lo confunde con
Cisneros al noroeste de Palencia.

293c   *no sabié de su toca,* "no sabía dar razón". *Toca* alude metonímicamente
a cabeza, inteligencia, razón.

294ab   La rima *(tuerta)* repetida pertenece a la categoría de los recursos téc-
nico-formales del mester de clerecía.

295 Avién cueita e duelo   todos sus conoscientes,
     non sabién quél ficiessen   amigos nin parientes;
     metió en una cosa   uno qualque fo mientes,
     que non guarié la dueña   por emplastos calientes.

296 Asmó que la levassen   al sancto confessor,
     al natural de Cañas,   de Silos morador,
     élle quando la viesse   avrié d'ela dolor,
     ganariéli salud   de Dios nuestro Señor.

297 Semejólis a todos   que buen consejo era,
     prisiéronla en ombros,   entraron en carrera;
     oras tornava verde,   oras tal como cera,
     ca eran los colores   non de una manera.

298 Leváronla a Silos   la enferma lazrada,
     fo delante la puerta   del confessor echada,
     non semejava viva   mas que era passada,
     era de la su vida   la gent desfiuzada.

299 El confessor precioso   de los fechos cabdales,
     ligero e alegre   por en cosas atales,
     ixo luego a ellos   fuera de los corrales,
     mandólis que entrassen   dentro a los ostales.

300 Mandó los ostaleros   de los omnes pensar,
     comieron queque era,   cena o almorçar;
     entró él a la glesia   al Criador rogar,
     pora la paralítica   salut li acabdar.

295c *uno qualque fo,* "uno de ellos, alguien".
295d *emplastos calientes,* remedios caseros posiblemente relacionados con la
práctica de los ensalmos.
299c *fuera de los corrales,* se refiere al hecho de que el santo salió a recibirlos
en las mismas puertas, haciendo constar de tal manera su gran hospitalidad.
300a *ostaleros,* monjes encargados de atender a los visitantes.
300b *comieron queque era,* "comieron cualquier cosa que fuera".
300d *li acabdar,* "conseguirle".

301 Cató al crucifixo,   dixo: "¡Aï!, Señor,
que de cielo e tierra   eres emperador,
que a Adam caseste   con Eva su uxor,
a esta buena femna   quítala d'est dolor.

302 Deque a esta casa   viva es allegada,
Señor, mercet te clamo   que torne mejorada,
que esta su compaña   que anda tan lazrada,
al torno d'est embargo   sea desembargada.

303 Estos sus compañeros   que andan tan lazrados,
que sieden desmarridos,   dolientes e cansados,
entiendan la tu gracia   ond sean confortados,
e lauden el tu nombre,   alegres e pagados.

304 Por confortar los omnes   el anviso varón
abrevïó, non quiso   fer luenga oración,
exió luego a ellos,   diolis la refectión,
diolis pronunciamiento   de grand consolación.

305 "Amigos —diz— roguemos   todos de coraçón
a Dios por esta dueña,   que iaz en tal prisión,
que li torne su seso,   déli su visïón,
que pierda esta cueta,   finque sin lesïón."

306 El clamor fo devoto,   a todo su poder,
fo de Dios exaudido,   ovo d'ello placer;
abrió ella los ojos   e pidió a bever,
plogo mucho a todos   más que con grand aver.

307 Mandó el sancto padre   que trasquiessen del vino,
mandó que calentassen   d'ello en un catino;
bendíxolo él mismo   puesto en un copino,
diógelo a bever   en el nomne divino.

301c *uxor,* "esposa"; latinismo.
304a *anviso,* "sabio, cuerdo"; síncopa de *anteviso.*

308 Assí como lo ovo   de la boca pasado,
    la dueña fo guarida,   el dolor amansado,
    salló fuera del lecho,   enfestósse privado,
    diciendo: "¡Tan buen día,   Dios, tú seas laudado!"

309 Cayóli a los pies   al confessor onrado:
    "Señor —dixo— e padre,   en buen punto fust nado,
    entiendo bien que eres   del Criador amado,
    ca de los tus servicios   mucho es Él pagado.

310 Entiendo e conosco   que por ti so guarida,
    por ti cobré los miembros,   el seso e la vida;
    esta mercet de Dios   te sea gradecida,
    ca sé que por tu gracia   so del lecho exida."

311 Recudió el buen padre,   quísola castigar:
    "Amiga —diz— non fablas   como deviés fablar,
    a Dios señero deves   bendezir e laudar,
    porque de tan grand cueta   te deñó delibrar.

312 La su virtud preciosa   que te deñó guarir,
    a essa sola deves   laudar e bendecir,
    tú contra mí tal cosa   no la deves decir,
    nin quiero que la digas   ni la quiero odir.

313 Fija, vé benedicta,   torna a tu logar,
    exist pora mercado,   tiempo as de tornar;
    mas en quanto pudieres,   guárdate de pecar,
    deve est majamiento   por siempre te membrar."

314 Fincó el padre sancto   entro en su mongía,
    al Criador sirviendo   e a Sancta María;
    bien sana e alegre   fo la dueña su vía,
    la vecindad con ella   ovo grand alegría.

308c *enfestósse privado,* "irguióse prontamente".
309b *en buen punto fust nado,* cfr. nota al v. 273b.
314a *entro,* "dentro".

315　Señores, sim quisiéssedes　un poquiello sofrir,
　　　non querría con esto　de vos me espedir,
　　　de un otro miraglo　vos querría decir,
　　　por amor del buen padre　devédeslo odir.

316　Una manceba era　que avié nomne Oria,
　　　niña era de días　como diz la istoria,
　　　facer a Dios servicio，essa era su gloria,
　　　en nulla otra cosa　non tenié su memoria.

317　Era esta manceba　de Dios enamorada,
　　　por otras vanidades　non dava ella nada;
　　　niña era de días，de seso acabada,
　　　más querrié seer ciega　que veerse casada.

318　Querié oír las oras　más que otros cantares,
　　　lo que dicién los clérigos　más que otros joglares;
　　　yazrié, si la dixassen，cerca de los altares,
　　　o andarié descalça　por los sanctos logares.

319　De la soror de Lázaro　era much embidiosa,
　　　que sedié a los pies　de Christo, especiosa,

315a　Recuérdese que la consideración del cansancio del lector u oyente pertenece a los tópicos de modestia, es decir, las disculpas que trae el autor para
ganarse la benevolencia, la atención y la docilidad de su público.

316a　No se trata de la Oria «emilianense» (o sea, la reclusa en el monasterio
de San Millán), cuya *Vida* Berceo romanceó en su vejez, sino de una Oria «silense», igualmente reclusa y protagonista de un milagro entre los otros que acae-
cen en el monasterio de Silos.

316b　*como diz la istoria*, o sea, la *Vita Dominici Siliensis* de Grimaldus que
en el lugar correspondiente dice: "Beatus igitur Dominicus parvulam quandam
nomine Oriam, infra annos pueritie...".

318ab　Queda aquí subrayado el contraste entre mesteres: clerecía *(horas, clérigos)*, juglaría *(cantares, joglares)*, lógicamente en favor del primero.

319ad　Berceo hace referencia a *Lucas*, 10, 38-42, donde María, la hermana
de Lázaro, escuchaba las palabras de Cristo, mientras su hermana Marta pre-
paraba la comida.

udiendo qué dicié   la su boca preciosa,
ond Marta su ermana   andava querellosa.

320 Quando la niña vido   la sazón aguisada,
desamparó la casa   en que fuera criada;
fo al confessor sancto,   romeruela lazrada,
cayóli a los piedes   luego que fue legada.

321 "Señor —dixo— e padre,   yo a ti so venida,
quiero con tu consejo   prender forma de vida,
de la vida del sieglo   vengo bien espedida,
si más a ella torno   téngome por perdida.

322 Señor, si Dios lo quiere,   tal es mi voluntad,
prender orden e velo,   vevir en castidad,
en un rencón cerrada   iazer en pobredad,
vevir de lo que diere   por Dios la christiandad."

223 Dixo el padre sancto: "Amiga, Dios lo quiera
que puedas mantenerla   essa vida tan fiera;
si bien no lo cumplieres,   mucho más te valiera
vevir en atal ley   com tu madre toviera."

324 "Padre —dixo la niña—,   en merced te lo pido,
esto que te demando   luego sea complido,
por Dios que no lo tardes,   padre de buen sentido,
non quieras esti pleito   que caya en oblido."

325 Entendió el conféssor   que era aspirada,
fízola con su mano   soror toca negrada,

_____

325a La lengua de Gonzalo de Berceo admite la doble articulación de algunas
palabras que se remontan, por vía etimológica, tanto a los casos rectos *(conféssor,*
nominativo) como a los oblicuos *(confesor,* acusativo). Este recurso, al igual que
otros, facilita la versificación «a sílabas cuntadas» del mester de clerecía.
325b *soror toca negrada,* "monja benedictina".

fo end a pocos días   fecha emparedada,
ovo grand alegría   quando fo encerrada.

326 Ixo de bona vida   e de grand abstinencia,
humil e verdadera,   de bona pacïencia,
orador e alegre,   de limpia continencia,
en fer a Dios servicio   metié toda femencia.

327 El mortal enemigo,   pleno de travesura,
que suso en los cielos   buscó mala ventura,
por espantar la dueña   que oviesse pavura,
faciéli malos gestos,   mucha mala figura.

328 Prendié forma de sierpe   el traïdor provado,
poniésseli delante   el pescueço alçado,
oras se facié chico,   oras grand desguisado,
a las veces bien gruesso,   a las veces delgado.

329 Guerreávala mucho   aquel que Dios maldiga,
por espantar a ella   fazié mucha nemiga;
la beneíta niña,   del Criador amiga,
bivié en grand lacerio,   quiquier que ál vos diga.

330 En essa misma forma,   cosa es verdadera,
acometió a Eva,   de Adam compañera,
quando mordieron ambos   la devedada pera;
sentímosla los nietos   aún essa dentera.

325c   En la Edad Media las doncellas que querían consagrar completamente
a Dios su vida se hacían construir junto a una iglesia u oratorio una pequeña
celda, con la puerta tapiada, que comunicaba con el exterior por medio de una
ventanilla, a través de la cual recibían el indispensable alimento. En ella se encerraban pasando su vida en la contemplación y en la mortificación de sus carnes.
326c   *orador*, "rezadora". La terminación única de los adjetivos en *-or* era
general en el siglo XIII.
326d   *femencia*, "afán, esfuerzo".
329b   *nemiga*, "maldad, acción malvada".

331 La reclusa con cueta   non sopo ál que fer,
    embïó al buen padre   férgelo entender;
    entendiólo él luego   lo que podié seer,
    metióse en carrera,   vínola a veer.

332 Quando plegó a ella,   fíçola confessar,
    del agua beneíta   echó por el casar,
    cantó él mismo missa,   mandóla comulgar;
    fuxo el vezín malo   a todo su pesar.

333 Tornó a su eglesia   el sancto confessor,
    fincó en paz la dueña,   sierva del Criador;
    fue mal escarmentado   el draco traïdor,
    después nunqua paresco   en essi derredor.

334 Oímos esto misme   de señor San Millán,
    que fiço tal miráculo   yo lo leí de plan,
    de casa de Onorio   segudó un satán,
    que facié continencias   más suzias que un can.

335 Un otro bel miraglo   vos querría decir
    que fiço est conféssor,   sabroso de oír;
    maguer vos enogedes   devédeslo sofrir,
    vos dizredes que era   bueno de escrivir.

336 En comarca de Silos,   el logar non sabemos,
    avié un omne ciego,   d'élli vos fablaremos;

331a "La reclusa desventurada no supo hacer otra cosa".

332b Entre los medios empleados para conjurar los demonios, el del agua
bendita era el más común.

334ad Se refiere a un milagro de San Millán que en la *Vida* de este santo,
redactada por el mismo Berceo, figura en las coplas 181-198. Representa también
un posible indicio de la prioridad cronológica de redacción de la *Vida de San
Millán* con respecto a la *Vida de Santo Domingo de Silos*.

336a *el logar non sabemos*, en realidad, Grimaldus afirma que el ciego era
natural de Salas, villa a 13 kilómetros al noroeste de Silos: "Cecus quidam, nomine Iohannes, Exaliensis opidi indigena, venit ad monasterium Exiliense...". Sin
embargo, es muy posible que el ejemplar de la obra de Grimaldus que utilizaba
Berceo ofreciera en este lugar un texto deformado por homeoteleuton, dada la
semejanza casi perfecta entre «Exaliensis» y «Exiliense».

de quál guisa cegara   esto no lo leemos,
lo que no es escripto   non lo afirmaremos.

337 Johanes avié nomne,   si saberlo queredes,
vivié en grand tristicia   qual entender podedes,
avié sin esta coyta   que oído avedes,
tal mal a las orejas   que mordí las paredes.

338 Si era de liñage   o era labrador,
no lo diz la leyenda,   non so yo sabidor;
mas dixémoslo esso,   digamos el mejor,
lo que caye en precio   del sancto confessor.

339 Fízose aduzir   esti ciego lazrado
a la casa del monge   de suso ementado,
ca creyé bien afirmes,   estava fiuzado
que serié d'esta coita   por élli terminado.

340 Quando fue a la puerta   de Santo Sabastián,
non quiso el mesquino   pedir vino ni pan,
mas dicié: "¡Aï, padre,   por señor San Millán,
que te prenda cordojo   de esti mi afán!

341 Padre, allá do yaces,   yo a ti bin buscar,
o exi tú o manda   a mí allá tornar;
señor, yo non podría   partirme d'est logar
fasta que tú me mandes   o seer, o tornar.

342 Padre de los lazrados,   déñame visitar,
pon sobre mí tu mano,   sígname del polgar,

337d   *mordí,* forma del imperfecto con pérdida de la *-e* final, no muy frecuente
aunque documentada en la Edad Media.
338b   *leyenda,* "lectura, escrito", con referencia a la fuente latina.
338c   *dixémoslo,* "dejémoslo".
340a   Recuérdese que el monasterio de Silos se llamó San Sebastián hasta la
canonización de Santo Domingo (cfr. nota al v. 195a).

sólo que yo pudiesse   la tu mano besar
de toda esta coita   cuidaría sanar."

343 El padre beneíto,   bien entro do estava,
oyó los apellidos   que esti ciego dava,
exo e preguntóli   quál cosa demandava,
dixo élli que lumne,   ca ál non cobdiciava.

344 Señor Sancto Domingo,   por en tales liviano,
guïólo élli misme,   prísolo por la mano,
metiólo a la casa   el perfecto christiano,
diéronli lo que davan   a los otros cutiano.

345 Oró toda la noche   el sancto confessor,
al Reï de los Cielos,   cabdal emperador,
que li diesse su lumen   a est mesellador,
e de las sus orejas   tolliesse la dolor.

346 Entró enna mañana   a la missa dezir,
vínola de buen grado   el ciego a oír,
non sabié el mesquino   otro cosa pedir,
fuera que li deñasse   Dios los ojos abrir.

347 Quando ovo el debdo   de la missa complido,
el abad con sus fraires,   conviento bien nodrido,
mandó venir al ciego,   luego fue él venido,
cayóli a los piedes   en tierra abatido.

348 Echol con el isopo   de la agua salada,
consignóli los ojos   con la cruz consagrada,
la dolor e la coita   fue luego amansada,
la lumne que perdiera   fue toda recombrada.

344a *por en tales liviano,* "hábil en tales casos".
345c *mesellador,* "mezquino, infeliz".
347a *debdo,* "deber".
348a Adviértase que la sal tiene usos litúrgicos desde tiempos muy antiguos, entre ellos en el ritual de la bendición del agua.

349 Entenderlo pudiestes,   amigos e señores,
     que avié muchos males   de diversos colores,
     unos de ceguedad,   ál de graves dolores,
     mas de todo bien sano   rendié a Dios lodores.

350 Dixo el padre sancto: "Amigo, vé tu vía,
     gradécelo a Dios   que vas con mejoría,
     cúriate que non peques   e non fagas follía,
     ca será por tu tidio   si faces recadía."

351 Muchos son los mirágulos   que d'est padre sabemos,
     los unos que oímos,   los otros que leemos,
     en dubda nos paramos   en quál empeçaremos,
     mas a qual part que sea   a devïar avremos.

352 D'esta sazón los otros   quiérolos fer esquivos,
     dezir uno, e miémbrevos   mientre fuéredes vivos,
     cómo ganó la gracia   que saca los cativos,
     por ond de luengas tierras   li embían bodivos.

353 Eran en essi tiempo   los moros muy vezinos,
     non osavan los omes   andar por los caminos,
     davan las cosas malas   salto a los matinos,
     levavan cruamientre   en soga los mesquinos.

350d "será en detrimento tuyo que tengas una recaída".
351a *los unos que oímos,* con esta afirmación Berceo admite explícitamente
que algunos milagros de Santo Domingo pertenecen a la tradición oral y no a la
escrita. Por ejemplo, el milagro del «huerto de los puerros», relatado un poco
más adelante (377-383), no se apoya en el texto escrito habitual, es decir, la *Vita*
de Grimaldus, sino en una fuente desconocida.
352a *fer esquivos,* "omitir".
352d *luengas tierras,* "tierras lejanas".
352d *bodivos,* "bodigos, panes votivos".
353a Recuérdese que hasta la conquista de Toledo, el 6 de mayo de 1085, las
tierras al sur del Duero estaban en poder de los moros. Por consiguiente, los
cristianos que vivían allí o en las cercanías de la frontera tenían que sufrir muchas
molestias debidas principalmente a las correrías de los moros dominantes.
353c *a los matinos,* "por la mañana".

354 Dieron por aventura   salto una vegada,
    alliñaron a Soto   essa gent renegada,
    prisieron un mancebo   en essa cavalgada,
    Domingo avié nomne,   non fallesco en nada.

355 Metiéronlo en fierros   e en dura cadena,
    de lazrar e de famne   dávanli fiera pena;
    dávanli yantar mala   e non buena la cena,
    combrié, si gelo diessen,   de grado pan d'avena.

356 Aquél es bien mesquino   que caye en tal mano,
    en cosiment de canes   quando iaz el christiano,
    en dicho e en fecho   afóntanlo cutiano,
    anda mal en ivierno,   non mejor en verano.

357 Parientes del cativo   avién muy grand pesar,
    ovieron por cient cientos   sueldos a pleitear,
    mas non avién consejo   que pudiessen pagar,
    ca non podién por nada   los dineros ganar.

358 De toda la ganancia,   con toda su missión,
    apenas aplegaron   la media redempción;
    estavan en desarro   e en comedición,
    tenién que a fincar   avrié en la prisión.

359 Asmaron un consejo,   de Dios fue embïado,
    que fuessen a pedir   al confessor onrado,
    omne que li pidiesse   nunqua fo repoyado,
    si él no lis valiesse   todo era librado.

354b *alliñaron a Soto,* "se enderezaron a Soto". Se refiere a Soto de San
Esteban (de Gormaz), provincia de Soria.
356b *en cosiment de canes,* "a merced (en poder) de malvados".
356c *afóntanlo,* "lo injurian".
357b "debieron tratar (el rescate) sobre la base de diez mil sueldos".
358b "Apenas reunieron la mitad del rescate".
358d "pensaban que tendría que quedarse en la prisión".

360 Quales que foron d'elos,   o primos o ermanos,
    fueron al padre sancto   por besar las sus manos,
    dixieron: "¡Aï, padre   de enfermos e sanos,
    udi nuestra rencura,   algún consejo danos!

361 Es un nuestro pariente   de moros cativado,
    enna presón yaciendo   es fieramient lazrado;
    avemos con los moros   el precio destajado,
    mas non cumple lo nuestro   nin lo que nos an dado.

362 Señor bueno, ayuda   te viniemos pedir,
    ya por nuestra ventura   non sabemos dó ir,
    tú sabes en qué caye   cativos redemir,
    Dios cómo lo gradece   al quel puede complir."

363 El padre pïadoso   empeçó de plorar:
    "Amigos —diz— daría   si toviesse qué dar,
    non podría en cosa   mejor lo emplear,
    lo que meter pudiesse   en cativos sacar.

364 Non avemos dineros,   nin oro nin argent,
    un cavallo tenemos   en casa solament,
    nos essi vos daremos   de grado en present,
    cumpla lo que falliere   el Rey omnipotent.

365 Levad agora esso,   lo que darvos podemos,
    mientre esso guïades   por ál vos cataremos,
    lo que catar pudiéremos   embïárvoslo emos,
    como en Dios fiamos   el preso cobraremos.

366 Fueron ellos su vía,   su cosa aguisar,
    por vender el cavallo,   en aver lo tornar;
    el padre cordojoso   entró a su altar,
    como era usado,   al Criador rogar.

362c   "tú sabes la importancia que tiene el redimir cautivos".
364d   *cumpla lo que falliere,* "complete lo que faltare".
365c   *embïárvoslo emos,* "os lo enviaremos".

367 La noche escorrida,   luego a los alvores,
     cantó la sancta missa,   élli con los señores,
     tovieron por el preso   oración e clamores,
     que Dios los delibrasse   de tales guardadores.

368 La oración del padre   de la grand sanctidad,
     levóla a los cielos   la sancta caridad;
     plegó a las orejas   del Rey de majestad,
     escapó el captivo   de la captividad.

369 Abriéronse los fierros   en que iazié travado,
     el corral nol retovo,   que era bien cerrado;
     tornó a sus parientes   de los fierros cargado,
     faciése élli mismo   d'ello maravillado.

370 Lo que lis prometiera   el padre verdadero,
     tardar non gelo quiso   poral día tercero;
     desembargó al moro   que era carcelero,
     de guisa que non ovo   d'élli un mal dinero.

371 Sopieron del cativo   quál ora escapó,
     vidieron que fo essa   que la missa cantó,
     entendién que el padre   sancto lo basteció,
     esta fo la ayuda   que lis él prometió.

372 Las compañas del preso,   amigos e parientes,
     e abueltas con ellos   todas las otras gentes,
     todos por ond estavan   metién en esto mientes,
     que facié est conféssor   miraglos muy valientes.

373 Señor Sancto Domingo,   complido de bondad,
     porque fo tan devoto   e de tal caridad,
     por sacar el cativo   de la captividad
     dioli Dios bona gracia   como por eredad.

374 Diéronli alta gracia   estos merecimientos,
    que faze ennos moros   grandes escarnimientos,
    quebrántalis las cárceres,   tórnalos sonolientos,
    sácalis los cativos   a los fadamalientos.

375 Est confessor tan sancto,   de tan alta facienda,
    que fiço más de bienes   que non diz la leyenda,
    él nos guarde las almas,   los cuerpos nos defienda,
    como en paz vivamos,   escusemos contienda.

376 Fiço otra vegada   una grand cortesía,
    si oír me quisiéssedes,   bien vos la contaría,
    assí como yo creyo   poco vos deterría,
    non combredes por ello   vuestra yantar más fría.

377 Avié un uerto bueno   el varón acabado,
    era de buenos puerros   el uerto bien poblado;
    ladrones de la tierra,   moviélos el Pecado,
    vinieron a furtarlos,   el pueblo aquedado.

378 En toda una noche,   fasta vino el día,
    cavaron en el uerto   de la sancta mongía,
    mas rancar non pudieron   puerro nin chirivía,
    fuera que barbecharon   lo que yacié ería.

379 El señor, grand mañana,   demandó los claveros:
    "Fraires —dixo— sepades   que avemos obreros,

374d   *fadamalientos,* "desgraciados, desventurados". Con referencia a la «mala
fortuna» *(fado malo)*.

376bd   Más allá del detalle realista («yantar fría»), lo que cuenta en este lugar
es el matiz retórico y tópico de la expresión. Los poetas de juglaría, así como los
de clerecía, utilizaban fórmulas de este tipo para indicar la brevedad del relato.
Véase, más arriba (nota al v. 315a), la tópica de la modestia.

377ad   Como ya se ha dicho (cfr. nota al v. 351a), el milagro de los «puerros»
falta por completo en la *Vita* de Grimaldus, Se encuentra, en cambio, en una
vida latina abreviada de Santo Domingo; pero es muy posible que esta última se
haya redactado después de la *Vida* de Berceo y, por consiguiente, no haya podido
desempeñar el papel de fuente para con la obra del poeta altorriojano.

378d   "excepto que labraron la tierra yerma".

cavado an el uerto,   d'esto seet certeros,
aguisad como coman   e lieven sus dineros."

380 Fo a ellos al uerto   el sancto confessor:
     "Amigos —diz— avedes   fecha bona lavor,
     téngavoslo en grado   Dios el nuestro Señor,
     venid e yantaredes   al nuestro refitor."

381 Ovieron grand vergüença   en esto los peones,
     cayéronli a piedes,   echaron los legones:
     "Mercet, señor —dixieron—   por Dios que nos perdones,
     iacemos en grand culpa   por muchas de raçones."

382 Dixo el padre sancto: "Amigos, non dubdedes,
     aun esta vegada   buen perdón ganaredes,
     d'esti vuestro lacerio   vuestro loguer avredes,
     mas tales trasnochadas   mucho non las usedes."

383 Fartáronlos e fuéronse   allá onde vinieron,
     nunqua lo olvidaron   el miedo que ovieron,
     teniénlo por façaña   quantos que lo oyeron,
     omne de tal mesura   dicién que non vidieron.

384 Todos los sus miraglos   ¿quí los podrié contar?
     No lis dariemos cabo   nin avriemos vagar;
     ennos que son contados   lo podedes asmar
     de quál mérito era   el barón de prestar.

385 Si de oír miráculos   avedes grand sabor,
     corred al monesterio   del sancto confessor,
     por ojo los veredes,   sabervos an mejor,
     ca cutiano los face,   gracias al Criador.

381b   *legones,* cierto tipo de azada.
385ad   Queda patente en estos versos el tono propagandístico en favor del
monasterio silense. Por otro lado, los móviles específicos de las hagiografías berceanas son bien conocidos; quizá haga falta añadir, en lo referente a este frag-
mento de la *Vida de Santo Domingo,* que la difusión de la obra se realizaba lejos
del monasterio de Silos, como lo demuestra la expresión «corred al monasterio
del sancto confessor».

386 Hi fallaredes muchos   que son end sabidores,
siquiere de mancebos,   siquiere de mayores,
decir vos an mil pares   de tales e mejores,
qui sacarlos quisiere   busque escrividores.

387 Aún no me semeja   con esto me alçar,
unos pocos miraclos   quiero aún contar,
non quiero por tan poco   gracias menoscabar,
non me quiero en cabo   del río enfogar.

388 Un conde de Gallicia   que fuera valïado,
Pelayo avié nombre,   ome fo desforçado;
perdió la visïón,   andava embargado,
ca ome que non vede   non devié seer nado.

389 Yendo de sant en sancto,   faciendo romerías,
contendiendo con menges   comprando las mengías,
avié mucho espeso   en vanas maestrías,
tanto que serié pobre   ante de pocos días.

390 Entendió est conféssor   que era tan complido,
que era en sus cosas   de Dios tanto querido,
pero óvolo élli   bien ante conoscido,
credié bien que por élli   podrié seer guarido.

391 Aguisó su facienda   quanto pudo mejor,
fíçose a la casa   traer del confessor;

386d   Era buena costumbre de entonces que los fieles se dirigieran a los monjes que sabían escribir pidiéndoles traslados de los milagros más interesantes realizados por el santo del lugar.

387ad   Otra fórmula tópica. Veáse 376ad y 315a.

388ab   Más detalles anagráficos en Grimaldus que habla de "comes Gallecie provincie Petro Pelagii nomine...".

389c   *vanas maestrías,* referencia posible a la actividad desarrollada por ensalmadores, saludadores, etc.

390c   Refieren las crónicas del santo que el conde gallego Pedro Peláez había conocido a Santo Domingo antes de enfermar.

empeçó a rogarlo   a una grand dulçor
que quisiesse por élli   rogar al Criador.

392 Si por élli rogasse,   credié bien firmemient
que li darié consejo   el Rey omnipotent;
empeçó a plorar   tan aturadament
que facié de grand duelo   plorar toda la gent.

393 Ovo duelo del conde   el confessor onrado,
que vedié tan grand príncep   seer tan aterrado;
tornó a su estudio   que avié costumnado,
rogar a Jhesu Christo   qui por nos fue aspado.

394 Quando ovo orado,   la oración finada,
mandó traer el agua   de la su fuent onrada;
bendíxola él misme   con su mano sagrada,
en cascún de los ojos   echó una puñada.

395 La virtud de los cielos   fo luego y venida,
cobró la luz el conde,   la que avié perdida;
fo luego de la cara   la tiniebra tollida,
non la ovo tan bona   en toda la su vida.

396 Ufrió buena ofrenda,   buen present e granado,
rendiedió a Dios gracias   e al sancto prelado,
como qui su negocio   ha tan bien recabdado,
pagado e alegre   tornó a su condado.

397 Fizo otro miraclo   essi claro barón,
en que travajó mucho   por muy grande saçón,
faciendo grand jejunio,   cutiana oración,
sufriendo en su cuerpo   muy grand aflictïon.

393b *aterrado,* "abatido, derribado en tierra".
394b Se refiere a la fuente que surge en el ángulo sureste del claustro de Silos.

398 Era un omne bono de Gomiel natural,
    Garcí Muñoz por nombre, avié un fiero mal;
    prendiélo a las vezes una gota mortal,
    omne que essa vio non vido su egual.

399 Soliélo esta gota tomar al coraçón,
    tolliéli la memoria, fabla e visïón,
    non avié nul acuerdo nin entendié raçón,
    vivién todos por élli en gran tribulación.

400 La gota maleíta de guisa lo prendié
    que de todos los sesos ninguno non sintié;
    lo que peor lis era, unos gestos fazié
    que tenién muchos omes que demonio avié.

401 Era la cosa mala de tan mala natura
    que li fazié torvar toda la catadura,
    fazié el omne bono tanta desapostura
    que todos sus amigos vivién en grand ardura.

402 Eran de su salud todos desfïuzados,
    tanto vedién en élli signos desaguisados;
    si lo toviessen muerto non serién más plagados,
    que se tenién por ello todos por desonrados.

403 Oración nin jejunio no li valieron nada,
    nin escantos nin menges, nin cirio ni oblada;
    por ninguna manera nol trobavan entrada,
    nunqua vidieron omes cosa tan entecada.

404 El enfermo él mismo querrié seer más muerto,
    ca a parte ninguna non trobava confuerto;

    398a *Gomiel,* posiblemente Gumiel de Izán, en las cercanías de Aranda de
Duero.
    399c *non avié nul acuerdo,* "se quedaba sin juicio".
    403b *escantos,* "hechizos". Véase, anteriormente, «vanas maestrías», v. 389c.
    403d *cosa tan entecada,* "cosa tan obstinada, persistente".

si no porque la alma   prendié en ello tuerto,
por lo ál más querrié   colgar en un veluerto.

405 El confessor caboso,   pleno de caridad,
oyó decir por nuevas   d'esta enfermedad,
ovo ende grand duelo,   pesól de voluntad,
dicié: "¡Ay, Rey de Gloria,   tú faz tu pïadad!"

406 Embïó su mensage,   su carta seellada,
a parientes del ome   de la vida lazrada,
que gelo aduxiessen   fasta la su posada,
podrié seer bien lieve   sano a la tornada.

407 Parientes e amigos,   el misme don García,
con es mensage bono   ovieron alegría;
aguisaron su cosa   por fer su romería,
por levar el enfermo   a Silos la mongía.

408 Fueron al monesterio   los romeros venidos,
del padre benedicto   fueron bien recebidos;
fueron bien ospedados   e fueron bien servidos,
asmavan que en cabo   serién bien escorridos.

409 Tornó a su costumbre   el sancto confessor,
entró a la eglesia   rogar al Criador,
que tolliesse d'est omne   esti tan grand dolor,
que non avié en élli   nin sangre nin color.

410 Era la malatía   vieja e profiosa,
de guarecer muy mala,   de natura raviosa;

404d   *veluerto,* "vilorta o vilorto"; aro hecho con una vara de madera flexible,
o rama torcida.
406d   *bien lieve,* "quizá". Adaptación del adverbio provenzal *ben leu,* «fácilmente, quizá».
407d   *a Silos la mongía,* "al monesterio de Silos". Construcciones por el estilo
se hallan frecuentemente en los poemas de juglaría.
408d   *escorridos,* "despedidos".

no la podié el menge   guarir por nulla cosa,
dizié: "¡Válasme, Christo,   fijo de la Gloriosa!"

411   Dicié el omne bueno   entre su voluntad:
"¡Válasme, Rey de Gloria,   que eres Trinidad!
So en fiero afruento   con tal enfermedad,
si me non acorriere   la tu grand pïadad.

412   Mas maguer nos laçremos,   como en ti fiamos,
tu merced ganaremos   de lo que te rogamos;
Señor, en ti iaz todo,   assí lo otorgamos,
el fructu de la cosa   en ti lo esperamos."

413   El padre cordojoso   diose a grand lacerio,
velava e orava,   reçava el salterio;
avié ayudadores   fraires del monesterio,
todos eran devotos   en esti ministerio.

414   Prendié sobre sus carnes   grandes aflictïones,
conduchos descondidos,   muy frías colaciones,
faciendo a menudo   prieces e oraciones,
vertiendo muchas lágremas   ennas demás saçones.

415   Perseveró el padre   sufriendo tales penas,
sobre Garcí Muñoz   tovo tales novenas;
era tan descarnado   en estas quarentenas,
como qui yaze preso   luengamient en cadenas.

416   Maguer era la gota   contraria de sanar,
el confessor caboso   óvola a sacar,
ca non quiso el campo   élli desamparar
fasta que exo ella   a todo su pesar.

411a   *entre su voluntad,* "secretamente". No se olvide que el enfermo en cuestión ha perdido su voz (cfr. 399b).

412d   *fructu,* latinismo.

414b   *conduchos descondidos,* "manjares desabridos".

415c   *quarentenas,* propiamente "cuarenta días de penitencia y ayuno", pero aquí en el sentido genérico de "muchos días".

417 Don García fo sano,   gracias al Criador,
    fincó con su victoria   el sancto confessor;
    todos tenién que era   est miraclo mayor,
    e de todos los otros   semejava señor.

418 Los otros en un día   los embïava sanos,
    que lis dava los piedes,   los ojos o las manos,
    en ésti metió muchos   con sus bonos christianos,
    que bien li ayudavan   como bonos ermanos.

419 Otro omne de Yécola   cojó un mal veçado,
    Garcí Muñoz por nombre,   assí era clamado,
    era de sus vecinos   traïdor bien provado,
    tal que avié derecho   de seer enforcado.

420 Furtávalis las miesses   al tiempo del segar,
    no lis podrié el falso   peor guerra buscar,
    si por su auze mala   lo pudiessen tomar,
    por aver monedado   non podrié escapar.

421 Desamparó la tierra   que temié mal prender,
    passó allén la sierra   a agosto coger,
    el su menester malo   no lo quiso perder,
    prisiéronlo segando,   queriénlo espender.

418c *muchos,* se sobrentiende *días.*

419a *Yécola,* o Yecla. Antigua aldea cercana a Silos, hoy desaparecida. Se menciona en varios documentos de Silos hasta el siglo XIV; *un mal veçado,* "una mala costumbre, un mal hábito".

420c *por su auze mala,* "por su mala fortuna".

420d *por aver monedado,* "por dinero", o sea, corrompiendo a los jueces o a los carceleros.

421b "pasó al otro lado de la sierra a hacer su agosto".

421d *espender,* "colgar, ahorcar".

422 Vino Sancto Domingo   do lo querién dañar,
       pidió que gelo diessen,   óvolo a ganar;
       díxoli que non fuesse   pan ageno furtar,
       sino que lo avrié   durament a lazrar.

423 El loco malastrugo,   quando fo escapado,
       luego que fue traspuesto   óvolo oblidado;
       tornó a su locura   el malabenturado,
       ovo al sancto padre   a seer mesturado.

424 Por amor que la cosa   fosse mejor provada,
       aduxieron la miesse   que él avié segada;
       al padrón de los Silos   foli delant echada,
       dixo él: "Esta cosa   es muy desaguisada."

425 Entró a la eglesia   al Criador rogar,
       echaron las gaviellas   delante del altar:
       "Señor —dixo— tú deves   esta cosa judgar,
       tuya es la vergüença,   piénsala de vengar."

426 Abés podié seer   la oración complida,
       fo la ira de Dios   en el barón venida,
       ovo en un ratiello   la memoria perdida,
       e la fuerça del cuerpo   fue toda amortida.

427 Vino el padre sancto   a merced li clamar,
       que deñasse por élli   al Criador rogar,
       si essa vez sanasse   no irié a furtar,
       aún, que jurarié   d'esto non lo falsar.

423a   *malastrugo,* "desdichado, de mala suerte". Al igual que *astroso, astru-*
go, etc., está relacionado con el dominio astrológico.
423d   *mesturado.* "denunciado, delatado".
424a   *por amor que,* "a fin de que".
424c   *los Silos,* en plural porque así lo requería la antigua denominación del
lugar.
425d   La atribución de virtudes épico-caballerescas a la Divinidad indica una
vez más la estrecha relación existente entre los mesteres de juglaría y clerecía.
427d   "también que juraría no quebrar esto (que prometía)".

428 El padre del bon tiento   e de bon conocer,
    como que fue non quiso   en esso se meter;
    en otra alongança   no lo quiso tener,
    destajógelo luego   qué avié de seer.

429 "García —dixo— sepas   que yo esto temía,
    lo que te ovi dicho   por esto lo dicía,
    que si nunqua tornasses   en essa tal follía,
    cadriés en logar malo   e en grand malatía.

430 Judicio fo del cielo   esta tu majadura,
    que andavas faciendo   muy grande desmesura;
    una vez te quitamos   de fiera angostura,
    e tú de mejorarte   non oviste ardura.

431 Todo es tu provecho   si tú lo entendiesses,
    Dios por esso lo fiço   que pecar non pudiesses;
    tú no lo entendriés   si esto non prisiesses,
    quant grand pecado era   furtar agenas mieses.

432 Más vale que enfermo   a paraíso vayas
    que sano e valient   en el infierno cayas,
    conviene que lo sufras   maguer lacerio trayas,
    ca de tornar cual eras   esperança non ayas."

433 Señor Sancto Domingo,   lumne de los prelados,
    avié en su eglesia   moros herropeados;
    fuxieron una noche   onde iazién cerrados,
    por culpa de las guardas   que foron mal guardados.

428c   "no quiso dejar la aclaración para otro momento".
429c   *nunqua*, "alguna vez".
432ab   Alude al concepto expresado por Cristo en *Mateo*, 5, 29: "... expedit
enim tibi ut pereat unum membrorum tuorum, quam totum corpus mittatur in
gehennam".
433b   *moros herropeados*, adviértase que entonces se empleaba a los moros
cautivados en reparar iglesias y monasterios. Quizá esté relacionado con este asunto el hecho de que los capiteles del claustro de Silos tienen rasgos de artesanía
arábiga.

434 Engañaron las guardas   ca eran sabidores,
    andidieron de noche   bien hasta los alvores;
    grand mañana por miedo   de algunos pastores,
    metiéronse en una   cueva los traïdores.

435 Sabiénla pocos omnes   ca era apartada,
    teniénla, como creyo,   bien ante baruntada;
    coidavan exir dende   la gente aquedada,
    que ribarién a salvo   do non temiessen nada.

436 Andava el buen padre   fuera por sus degañas,
    entendiólas por Dios   estas nuevas estrañas,
    recabdando sus cosas   a pro de sus compañas,
    e sopo do entraron,   la foz e las montañas.

437 La noche que fuxieron,   el barón adonado
    enna villa de Cruña   prisiera ospedado;
    luego a la mañana,   el silencio soltado,
    díxolo a sus fraires,   non lo tovo celado.

438 Algunos de los fraires   teniénlo por verdad,
    dicién algunos d'elos   que era vanidad;
    vínolis el mensage   de la fraternidad,
    por éssi entendieron   toda certanedad.

439 Derramaron los omes,   prisieron las carreras,
    prometieron dineros,   alvriças muy largueras,

435a *Sabiénla,* "la conocían".
435b *baruntada,* "aguardada cautelosamente, espiada".
437b *Cruña,* llamada también *Crunia* o *Clunia,* hoy Coruña del Conde, provincia de Burgos, a 20 kilómetros al sur del monasterio de Silos.
437c *el silencio soltado,* se refiere al silencio mayor que dura desde completas
hasta maitines.
438a No se olvide que Santo Domingo tenía "virtud de prophecía" (cfr. 260c).
438b *vanidad,* "fantasía, imaginación infundada".
438c *fraternidad,* los monjes del monasterio de Silos.
439b *alvriças muy largueras,* "recompensas muy generosas".

    mas saber non pudieron   nullas nuevas certeras,
    ca iacién muy quedados   las cabeças arteras.

440   Prísose con sus omnes   el sancto confessor,
    metióse por los montes,   quedo a su sabor,
    fo derecho al cabo   como buen venador,
    que tiene bien vatuda,   non anda en error.

441   Su escápula cinta,   el adalil caboso
    vino con sus salidos   a la casa gozoso;
    dicién todos que era   fecho maravilloso,
    devié seer escripto   a onra del Glorioso.

442   Non osaron los moros   nunqua jamás foír,
    ca non sabién consejo   que pudiessen guarir;
    fuertmient escarmentados   pensaron de servir
    el confessor glorioso,   su oficio complir.

443   Un mancebo de casa   que tenié la lavor
    avié fascas perdida   la mano de dolor;
    dixo por élli missa   el donoso señor,
    fo luego tan bien sano   como nunqua mejor.

444   Si fo después o ante   o en essa saçón,
    quandoquiere que sea   una es la raçón,
    cayeron en grand mengua   en aquessa maisón,
    non sabién ond oviessen   los monges la ración.

445   Cuitávanse los monges   de estraña manera,
    que non avié en casa   farina nin cevera,

    440a   *Prísose con sus omnes,* "Se reunió con sus hombres".
    440d   "que sigue bien la pista, no se equivoca".
    441a   Fórmulas épicas adaptadas a lo divino, otra señal de interrelación entre mesteres.
    441b   *sus salidos,* o sea, los moros que se habían escapado.
    444c   *maisón,* "casa, monasterio". Voz de origen galorrománico traída por los monjes de Cluny y los pobladores franceses de Toledo.

nin pan que lis cumpliesse   una noche señera,
non lis cabié la claustra   maguera larga era.

446 Vino el celleriço   al su padre abad:
"Señor —diz— tú non sabes   la nuestra pobredad;
non ha pan enna casa,   sépaslo de verdad,
somos, si Dios non vale,   en fiera mesquindad."

447 Ixió el sancto padre   fuera del oratorio,
mandó todos los monges   venir al parlatorio,
dixo: "Veyo, amigos,   que traedes mormorio
porque es tan vazío   el nuestro refitorio.

448 Seed firmes en Christo   e non vos rebatedes,
ante de poco rato   buen consejo avredes;
si en Dios bien fiardes   nunqua falla avredes,
esto que yo vos digo   todo lo provaredes."

449 El año era duro,   todo la gent coitada,
toda la tierra era   fallida e menguada;
non fallavan manlieva   de pan nin de cevada,
avién por mal pecado   mengua cada posada.

450 Entró el sancto padre   luego ant el altar,
empeçó muy afirmes   al Criador rogar,
que Elli lis deñasse   consejo embïar,
ca en ora estavan   de ende se ermar.

451 "Señor —dixo— que eres   pan de vida clamado,
que con pocos de panes   fartesti grand fonsado,
Tú nos embía vito   que sea aguisado,
por ond esti convïento   non sea descuajado.

445d   Creo que este verso puede interpretarse así: "el claustro de Silos, a pesar de su amplitud, se les hacía pequeño (a los monjes que estaban inquietos)".
446a   *celleriço,* "despensero".
449ab   Se refiere a la carestía que afectó a toda España y Francia en el año 1043.
450d   *se ermar,* "quedar asolados".
451b   Alude a *Mateo,* 1, 21.

452 Tú goviernas las bestias   por domar e domadas,
    das cevo a las aves   menudas e granadas,
    por Ti crían las miesses,   fázeslas espigadas,
    Tú cevas las lombrices   que iazen soterradas.

453 Señor, Tú que das cevo   a toda creatura,
    embíanos acorro,   ca somos en ardura,
    Tú vees est conviento   de qual guisa mormura,
    contra mí tornan todos,   yo so en angostura."

454 Más era de meidía,   nona querié estar,
    tañó el sacristano,   fóronla a reçar;
    díxola el conviento   de muy grande vagar,
    maguer eran en mengua   non se querrién cuetar.

455 Ixieron de la nona   por entrar a la cena,
    tenién pan assaz poco,   una casa non plena;
    saberlis yé a trigo   si toviessen avena,
    si pan solo toviessen   non avrién nulla pena.

456 Non avié el prior   el címbalo tañido,
    un trotero del rey   fo a ellos venido,
    de abad e de fraires   fo muy bien recebido,
    díxolis tal mensage   que li fo bien gradido.

457 Díxolis él: "Señores,   el bon rey vos saluda,
    entendió vuestra mengua,   envíavos ayuda,
    davos tres vent medidas   de farina cernuda,
    en dado que non sea   mudada nin venduda.

452c   "por ti crecen las mieses, las haces echar espigas".
454a   *nona querié estar,* "casi a las tres de la tarde". Naturalmente, se hace
aquí referencia a las horas canónicas.
454c   *de muy grande vagar,* "muy despacio, con gran calma". Referencia a la
devoción mantenida por los monjes en esa tribulación.
455c   "les habría sabido a trigo, si hubiesen tenido avena".
457c   *tres vent,* "sesenta". Posible influencia del sistema vascuence (y céltico)
de contar por veintenas.

458 Abad, embïad luego   vuestros azemileros,
    non seades reptado   de vuestros compañeros;
    los monges que madurgan   a los gallos primeros,
    trasayunar non pueden   como los tercianeros.

459 Señores, quando esto   oviéredes comido,
    ál vos dará el rey,   yo lo he entendido;
    nunqua mengua avredes   segundo mi sentido,
    nin combredes conducho   que non sea condido."

460 Embïaron por ella,   fo aína venida,
    el mayordom fo bono,   diógela bien medida;
    leváronla al forno,   fo luego y cocida,
    fo mientre que duró   lealmientre partida.

461 Desende adelante,   porque bien la partieron,
    diolis Dios buen consejo,   nunqua mengua ovieron;
    los que ante dubdaron   después se repintieron,
    ca los dichos del sancto   verdaderos ixieron.

462 Bendicho sea siempre   padre tan adonado,
    deve de tod el mundo   seer glorificado;
    onrávanlo los reyes,   facién y aguisado,
    ca era bien apreso   qui lo avié pagado.

463 En Monte Ruyo era   el preciado barón,
    andava por la tierra   semnando bendición;

458c   *a los gallos primeros,* hacia la primera mitad de la noche.
    458d   *los tercianeros,* los que se levantan a la hora de tercia (hacia las seis,
siete de la mañana). Sin embargo, no puede descartarse la hipótesis que aquí
tercianeros se refiera a los que padecen de fiebres tercianas porque, aparte la falta
de apetito que traía consigo dicha enfermedad, desde los tiempos más antiguos
a los tercianarios se les sometía a una dieta rigurosa.
    459d   *conducho... condido,* "alimentos sazonados".
    463a   *Monte Ruyo,* Monte Rubio o Monterrubio, villa cercana a Salas de los
Infantes, en la provincia de Burgos, tributaria del monasterio de Silos.

sedié entre grand pueblo,   teniélo en sermón,
ixié la su boca   mucha bona raçón.

464 Por ir a Paraíso   buscávalis carrera,
dizié que se guardassen   de la mortal manera,
dezmassen en agosto   lealmient su cevera,
diessen de sus ganados   a Dios suert derechera.

465 Non yoguiessen en odio,   ca es mortal pecado,
nin catassen agüeros,   ca de Dios es vedado,
fuera sea qui fuese   con su muger casado,
non ficiese fornicio,   si non serié dañado.

466 El qui de tal manera   se tenié por errado,
tomasse penitencia   de preste ordenado;
qui tenié lo ageno   de roba o furtado,
fasta que lo rendiesse   nol serié perdonado.

467 "Amigos, la almosna   nunqua la oblidedes,
lo que al pobre dierdes   siempre lo cobraredes,
si almosneros fuerdes   almosna trobaredes,
qual simienta ficierdes   tal era pararedes.

468 Miémbrevos sobre todo   de los pobres vezinos,
que yazen en sus casas   menguados e mesquinos,
de bergüença non andan   como los peregrinos,
yacen trasayunados,   corvos como enzinos.

464b *mortal manera,* "pecado mortal".
464d *suert derechera,* "la parte justa, la que le corresponde por derecho".
465b Adviértase que *agüero* significa: "Género de adivinanza por el vuelo de las aves y por su canto, o por el modo de picar los granos o migajas que se les echaban, para conjeturar los áugures o malos sucesos" (Covarrubias, *Tesoro de la Lengua Castellana o Española,* b.v.).
467d Frase proverbial de procedencia clásica: "Ut sementem feceris itametes".
468d *corvos como enzinos,* "encorvados como ganchos".

469 Albergat los romeos   que andan desarrados,
de vuestros vestidiellos   dad a los despojados,
castigad vuestros fijos   que non sean osados
en semnadas agenas   entrar con sus ganados.

470 Mostrad el Pater Noster   a vuestras creaturas,
castigad que lo digan   yendo por las pasturas,
más vale digan esso   que chistas e locuras,
ca suelen tales moços   fablar muchas orruras.

471 Lo que usa el niño   en primera edad,
después esso se tiene   como por eredad,
si primero bien usa,   después sigue bondad,
otrosí faz el malo,   esto es grand verdad.

472 Non juredes mentira   por quanto vos amades,
ca seredes perdidos   si mentira jurades;
en falso testimonio   non vos entremetades,
si vos entremetedes   la leï quebrantades.

473 Mandamos a los fijos   que onren los parientes,
ténganlos a su grado   fartos e bien calientes,
por dar el pan a ellos   tuélganlo a sos dientes,
esta leï es dada   a todos los credientes.

474 Otra cosa vos miembre   que cutiano veemos,
quanto aquí ganamos   aquí lo lexaremos,
si con poco naciemos   poco más levaremos,
Dios nos guíe a todos   que las almas salvemos."

475 El confessor precioso,   el sermón acabado,
vínoli un enfermo   que era muy lazrado,
gafo natural era,   durament afollado,
non era de bergüença   de parecer osado.

469cd   Indicios de un posible conflicto entre ganaderos y campesinos.
474b   *lexaremos,* es forma antigua por «dejar».
475d   "de vergüenza no se atrevía a dejarse ver".

476 Cayóli a los piedes,   empeçól de rogar:
     "Padre, yo a ti vengo   por salud demandar,
     si tú por mí deñasses   una missa cantar,
     yo sano e guarido   cuidaría tornar."

477 El padre pïadoso   dolióse del mesquino,
     fo pora la eglesia   de señor San Martino;
     quando fo acabado   el oficio divino,
     non ovo el malato   mester otro padrino.

478 En cabo de la missa   el buen missacantano,
     bendixo sal e agua   conna su sancta mano,
     echó sobrel enfermo,   tornó luego tan sano
     que más non pareció   de la lepra un grano.

479 Señor Sancto Domingo,   padrón de los claustreros,
     sedié en su cenobio   entre sus compañeros,
     vino una compaña   de desnudos romeros,
     nunqua fablar odiestes   de otros tan arteros.

480 Asmaron un trabuco   las cosas fadeduras,
     desaron en San Pedro   todas sus vestiduras;
     vinieron al buen padre   cargados de rencuras,
     pidieron que lis diese   algunas mudaduras.

481 El omne beneíto   por poco non ridié,
     ca quanto avién fecho   todo lo entendié,
     díxolis que de buena   voluntad lo farié,
     ca complir tales cosas   en debdo li cadié.

477b   Se refiere a una iglesia de Monte Rubio (cfr. 463a).
477d   *malato*, este vocablo y los derivados «malatía, malatería» son italianis-
mos tempranos explicables por la abundancia de leprosos en el levante.
478b   Cfr. nota 348a.
480a   *Asmaron un trabuco*, "Concertaron hacerle una trampa".
480b   *San Pedro*, San Pedro de Canónigos, una de las iglesias de Silos.

482 Embïó un su omne   mientre ellos comién,
    adozir los vestidos   allande ond sedién;
    dieron a todos sendos,   ca tantos lis cadién,
    abés tenién los risos   los que lo entendién.

483 Ixieron de la casa   fuera a la calleja,
    fueron unos con otros   faciendo su conseja;
    diz el uno: "Aquélla   la mi saya semeja",
    diz el otro: "Conosco   yo la mi capilleja."

484 Quando unos a otros   todos bien se cataron,
    vidieron que de nuevo   nulla ren non levaron,
    los paños que trasquieron   essos mismos levaron,
    al padre benedicto   más no lo ensayaron.

485 ¿Quí pudo veer nunqua   cuerpo tan palaciano,
    nin que tan bien podiesse   jogar a su christiano?
    Nunqua vino a él   nin enfermo nin sano,
    a qui non alegrasse   su boca o su mano.

486 Pruevas avemos muchas   en esto e en ál
    que vaso era pleno   de gracia celestial;
    él ruegue por nos todos   al reï celestial,
    en vida e en muerte   que nos guarde de mal.

487 Quiero passar al tránsido,   dexar todo lo ál,
    si non y espendremos   todo un temporal;
    aún después nos finca   una gesta cabdal
    de que farié el omne   un libro general.

488 Lo que el padre sancto   cobdiciava veer,
    exir d'este mal sieglo,   en el bono caer,
    de todo su lazerio   el galardón prender,
    cerca vinié el término   que avié de seer.

484b *nulla ren,* "ninguna cosa", latinismo.
487b "si no en ello gastaríamos todo el tiempo".

489 Cerca venié el término   que avié de morir,
    que se avié el alma   del cuerpo a partir,
    quando las tres coronas   avié de recebir,
    de las quales desuso   nos udiestes decir.

490 Como es la natura   de los omnes carnales,
    que ante de la muerte   sienten puntas mortales,
    ovo el sancto padre   sentir unas atales,
    más li plogo con ellas   que con truchas cobdales.

491 Fo perdiendo la fuerça   pero no la memoria,
    entendió bien que era   quitación perentoria,
    que li vinié mensage   del buen reï de gloria,
    que sopiese que era   cerca de la victoria.

492 Folo aportunando   mucho la malatía,
    alechigó el padre,   ¡Dios, tan amargo día!
    Pero que de la muerte   avié plazentería,
    doliésse el bon padre   de la su compañía.

493 Fo muy bien acordado   el barón del bon tiento,
    mandó que se plegassen   el su sancto conviento;
    fízolis sermón bono   de su mantenimiento,
    de que prisieron todos   seso e pagamiento.

494 "Fraires —díxolis— muérome,   poca es la mi vida,
    toda la mi fazienda   contadla por complida;
    a Dios vos acomiendo,   la mi greï querida,
    Él vos guarde de cueta   e de mala caída.

489b Repetición del primer hemistiquio del verso anterior. Forma parte de los procedimientos formularios de la narración épica.
489d Remite a las estrofas 232-243.
490d *truchas cobdales*, "truchas un codo de largas".
492c *Pero que*, "Aunque".
493a "Actuó con mucha prudencia el varón del buen sentido".

495 Nos levamos la casa   al mejor que pudiemos,
comoquier que se fizo,   la voluntad metiemos;
Dios depare qui cumpla   lo que nos falleciemos,
que aya mejor seso   de lo que nos oviemos.

496 Quando fuere passado   luego me soterrad,
como manda la regla   alçad luego abad;
aved unos con otros   amor e caridad,
servid al Criador   de toda voluntad.

497 De la obedïencia   que a Dios prometiestes,
que por salvar las almas   el mundo aburriestes,
e de las dos partidas   la mejor escogiestes,
catad que lo guardedes,   si non por mal naciestes.

498 Miémbrevos cómo fizo   el nuestro Redemptor,
que fue en cruz sobido   a muy grand desonor;
non quiso descender   maguer era señor,
hasta rendió la alma   quando ovo sabor.

499 Si vos el mi consejo   quisiéredes tomar,
e lo que prometiestes   quisiéredes guardar,
non vos menguará nunqua   nin cena nin yantar,
mejorará cutiano   esti sancto logar.

500 Nos atal lo trobamos   como viña dañada,
que es muy embegida   porque fo mal guardada;
agora es majuelo,   en buen precio tornada,
por ir a mejoría   está bien aguisada.

501 Fío en Jhesu Christo,   padre de pïedad,
que en esti majuelo   metrá Él tal bondad

_____

497c *las dos partidas,* es decir, el siglo o la vida mundana y la vida religiosa.
500b *muy embegida,* "muy envejecida".
500c "ahora es viña nueva, en buen estado tornada". Además de las referencias bíblicas, hay quien sospecha que las imágenes de la viña en Berceo están relacionadas con aspectos concretos de la tierra riojana, tierra de labranza y de viñas.

por ond avrá grand cueslo   toda la vezindad,
los de luen e de cerca   prendrán end caridad.

502 Demás si por ventura   non sodes trascordados,
ante vos lo dixiemos,   muchos tiempos passados,
que de algunas cosas   que érades menguados,
Dios vos darié consejo   que seriedes pagados."

503 Mientre el padre sancto   lis facié el sermón,
plorava el convento   a muy grand missïón,
ca avién con él todos   tanta dilectïón,
que se dolié cascuno   mucho de coraçón.

504 Díxolis el buen padre: "Amigos, non ploredes,
semejades mugieres   en esso que fazedes;
mas nuevas vos diremos,   las que vos non sabedes,
aguisad vuestras cosas   ca uéspedes avredes.

505 Avredes grandes uéspedes   ante de quarto día,
al rey e la reína   con grand cavallería,
al obispo con ellos   con buena compañía,
pensad que los sirvades   ca es derechuría."

506 Faziénsi d'esti dicho   todos maravillados,
ónde podrién seer   tan fieros ospedados;
el rey e la reína   eran much allongados,
non podrién en sex días   allá seer uviados.

502bd   Se refiere al asunto de las reliquias tratado en las estrofas 279-283.
503b   *a muy grand missïón,* "muy intensamente".
506c   En tanto que Santo Domingo, como veremos más adelante (510-512),
quiere aludir al rey y a la reina del Cielo (en la ocasión de la fiesta de la Anunciación que, según la liturgia mozárabe, se celebraba el 18 de diciembre), los
monjes entienden Alfonso VI, rey de León y de Castilla, y su mujer Inés de Aqui-
tania que reinaban en 1073, fecha de la muerte del santo.
506d   "no podrían en seis días llegar allá".

507 Entendién lo del bispo   que bien podrié estar,
    ca era en la tierra   e cerca del lugar,
    mas era lo del rey   más de maravillar,
    que era allongado   e non podrié uviar.

508 El día que cuidavan   aver el ospedado,
    que tenién su conducho   todo aparejado,
    vínolis el obispo   e fo bien procurado,
    mas non sabién del rey   nuevas nin nul mandado.

509 Avié entre los monges   por esto grand roído,
    tenién alguantos d'ellos   que era enloquido,
    dicién los otros "Non", mas   que era decebido;
    ovo a entenderlo   maguera mal tañido.

510 Demandólos a todos   maguer era quexado,
    díxolis: "¿Qué roído   avedes levantado?
    Non ha entre vos todos   uno bien acordado,
    si no non me terriedes   por desmemorïado.

511 Oï feches la fiesta   de la Virgen María,
    quando entró en ella   el su Señor Messía;
    de reyes e reínas   ellos an mejoría;
    yo, sabedlo bien todos,   por ellos lo dicía.

512 Deque cantó el gallo   con ellos he fablado,
    de ir he en pos ellos   ca me an combidado;

507ab Se trata de Simeón, también llamado Jimeno, obispo de Burgos desde 1067 hasta 1082.
508c *bien procurado*, "bien asistido".
509d *maguera*, "aunque".
510e Se encuentra aquí otro verso supernumerario: "Buscades la batuda teniendo el venado", en mi opinión, añadido posteriormente (cfr. 167e y 185e).
511ab Cfr. nota 506c.
512a *Deque cantó el gallo,* cfr. nota 458c.
512b *de ir he,* giro perifrástico («he de ir»).

puesto lo he con ellos   e hanme aplazado,
que a pocos de días   prenda su ospedado."

513 Monges e capellanos,   quantos que lo udieron,
todos por una cosa   estraña lo tovieron;
el dicho del buen padre   no lo contradixieron,
los que ante dubdaron   todos venia pidieron.

514 Otro día mañana   que fo Sancta María,
despidióse el bispo,   queriése ir su vía;
dixo Sancto Domingo: "Señor, yo ál quería,
que aquí vos fincássedes   fastal tercero día.

515 Señor, yo so coitado,   como vos entendedes,
que oï vos vayades,   cras a venir avredes;
lazraredes el doble   ca ál non ganaredes,
señor, si lo ficierdes   grand merced me faredes."

516 Como que fo, el bispo   non pudo y fincar;
ixo del monesterio,   ovo de cavalgar,
mas ante que pudiesse   la jornada doblar,
recibió tal mensage   que ovo de tornar.

517 Tornó al monesterio   a una grand presura,
ca temié lo que era,   veer grand amargura;
falló al padre sancto   en muy grande presura,
al conviento plorando,   diciendo su rencura.

512cd "lo he dispuesto con ellos y me han dado un plazo, que dentro de
pocos días acepte su hospitalidad".
514a Se refiere a la ya mencionada fiesta de la Anunciación (cfr. nota 506c)
que era la más solemne de las fiestas en honor de la Virgen según el rito mozárabe.
Conforme a la disposición del Concilio de Toledo celebrado en el año 656, se
había trasladado del 25 de marzo al 18 de diciembre.
514d *fastal tercero día,* o sea, hasta el 20 de diciembre (desde el 18, fiesta de
la Anunciación).
516a *Como que fo,* "de cualquier modo, sea como fuere".
516c "pero antes que pudiera alejarse dos jornadas", es decir, después de un
día de viaje.

518 Fiziéronli carrera, plegósele al lecho,
    entendió que el pleito todo era ya fecho,
    díxoli: "Aï, padre, pastor de buen derecho,
    quando tú irte quieres téngome por maltrecho.

519 Padre, el tu consejo a muchos governava,
    pora cuerpos e almas el tu sen adobava,
    qui a ti vinié triste, alegre se tornava,
    qui prendié tu consejo, sobre bien se fallava".

520 Los monges e los pueblos facién muy grande planto,
    diziendo: "¿Qué faremos del nuestro padre sancto?
    Todos enna su muerte prendemos gran quebranto,
    nunqua más fallaremos pora nos tan buen manto."

521 Fo cerrando los ojos el sancto confessor,
    apretó bien sus labros, non vidiestes mejor,
    alçó ambas las manos a Dios nuestro Señor,
    rendió a Él la alma a muy grand su sabor.

522 Prisiéronla los ángeles que estavan redor,
    leváronla a cielos e a muy grand onor,
    diéronli tres coronas de muy gran resplendor,
    desuso vos fablamos de la su gran lavor.

523 Los sanctos patriarchas de los tiempos primeros,
    desende los apóstolos de Christo mensageros,
    las huestes de los mártires de Abel compañeros,
    todos eran alegres con él e plazenteros.

524 Sedién los confessores a Dios glorificando,
    que tan precioso fraire entrava en su vando;

519b "tu inteligencia proveía a cuerpos y almas".
522a *redor*, síncopa de *deredor*, "alrededor".
522d Véanse las estrofas 233-234.

respondiénlis las vírgenes   dulcement organando,
todos li facién onra   leyendo e cantando.

525 Señor San Beneíto   con los escapulados,
que obrrieron el sieglo,   visquieron encerrados,
eran con esti monge   todos mucho pagados,
cantavan a Dios laudes,   sones multiplicados.

526 El barón cogollano,   natural de Berceo,
San Millán con qui ovo   él de bevir deseo,
por onrar su criado   facié todo asseo,
ca metióse por élli   en un fiero torneo.

527 Sea con Dios el alma   alegre e onrada,
tornemos enna carne   que dexamos finada,
cumplámosli su debdo,   cosa es aguisada,
démosli sepultura   do sea condesada.

528 Los monges de la casa,   cansos e doloridos,
aguisaron el cuerpo   como eran nodridos;
fiziéronli mortaja   de sos mismes vestidos,
davan por los corrales   los pobres apellidos.

529 El cuerpo glorïoso,   quando fue adobado,
leváronlo a glesia   por seer más onrado;
fo mucho sacrificio   por él a Dios cantado,
a él non facié mengua   mas avié Dios end grado.

524c   *organando,* se refiere a la práctica de ejecutar una melodía según el «or-
ganum" o procedimiento de diafonía medieval.
525a   *Señor San Beneíto,* San Benito de Norcia, el fundador de la orden a la
que perteneció el abad de Silos. Por esto figura en la glorificación de Santo Domingo.
525b   *que obrrieron el sieglo,* "que aborrecieron el mundo".
526c   "hacía las mayores demostraciones para honrar a su criado (Santo Domingo)".
528d   *apellidos,* "clamores, gritos".

530 Avié un grand conviento   de personas granadas,
    abades e priores,   monges de sus posadas,
    de otras clericías   assaz grandes mesnadas,
    de pueblos e de pobres   adur serién contadas.

531 Condesaron el cuerpo,   diéronli sepultura,
    cubrió tierra a tierra   como es su natura;
    metieron grand tesoro   en muy grand angostura,
    lucerna de gran lumne   en lenterna oscura.

532 El cuerpo recabdado,   tenidos los clamores,
    ixo end el obispo   e sus aguardadores,
    fueron a sus logares   abades e priores,
    pueblos e clericías,   vassallos e señores.

AQUÍ ESCOMIENÇA EL TERCERO LIBRO
DE LA ESTORIA DE SANTO DOMINGO

533 Señores e amigos,   Dios sea end laudado,
    el segundo libriello   avemos acabado,
    queremos empeçar   otro a nuestro grado,
    que sean tres los libros   e uno el dictado.

534 Como son tres personas   e una Deïdad,
    que sean tres los libros,   una certanedad,
    los libros sinifiquen   la sancta Trinidad,
    la materia ungada   la simple Deïdad.

535 El Padre e el Fijo   e el Espiramiento,
    un Dios e tres personas,   tres sones, un cimiento,

530b *monges de su posada,* monjes de la misma orden que Santo Domingo.
    534ad La comparación con la Trinidad, entre otras cosas, sirve para subrayar
el carácter sagrado y al mismo tiempo la autenticidad de la obra de Berceo.
    534d *la materia ungada,* "la materia reunida, en unidad".

singular en natura,   plural el complimiento,
es de todas las cosas   fin e començamiento.

536 En el su sancto nomne,   ca es Dios verdadero,
e de Sancto Domingo,   confessor derechero,
renunçar vos queremos   en un libro certero
los miraglos del muerto   de los Cielos casero.

537 Desque Sancto Domingo   fo d'est sieglo passado,
facié Dios por él tanto   que non serié asmado,
vinién tantos enfermos   que farién gran fonsado,
non podriemos los medios   nos meter en dictado.

538 Era un mancebiello,   nació en Aragón,
Peidro era su nombre,   assí diz la lectión,
enfermó tan fuertmientre   que era miración,
nol podién dar consejo   nin fembra nin barón.

539 Grand fo la malatía   e mucho porlongada,
nunqua vinieron físicos   que li valiessen nada;
era de la su vida   la yent desfiuzada,
ca hascas non podié   comer una bocada.

540 Avié de la grand coita   los miembros enflaquidos,
las manos e los piedes   de su siesto exidos,
los ojos concovados,   los braços desleídos;
los parientes de coita   andavan doloridos.

541 En cabo el mesquino   perdió la visïón,
esta fo sobre todo   la peor lesïón;
más sofridera era   la otra perdición,
non avié sin la lumne   nulla consolación.

535ad   En esta copla se refleja la doctrina oficial de la Iglesia sobre el dogma
de la Trinidad que estableció el Concilio de Nicea en 325.
537d   "no podríamos poner en la obra ni la mitad".
538b   *assí diz la lectión,* Grimaldus, en efecto, habla de "quidam puer parvulus,
nomine Petrus, advena, Aragonensis autem regionis indigena".
539b   *físicos,* "médicos", sobre todo los que saben la teórica de la medicina.
540c   "los ojos hundidos, los brazos debilitados".

542 Prisieron un consejo,   de Dios fo ministrado,
adocir el enfermo,   essi cuerpo lazrado,
al sepulcro precioso   del confessor onrado;
si él no lis valiesse,   todo era librado.

543 Aguisaron el ome   como mejor pudieron,
a la casa de Silos,   allí lo aduxieron;
delant el monumento   en tierra lo pusieron,
fincaron los inojos   su pregaria ficieron.

544 Tres días con sus noches   ant el cuerpo yoguieron,
fizieron sus ofrendas,   sos clamores tovieron,
vertieron muchas lágremas,   muchas preces ficieron,
pocos fueron los días   mas gran pena sufrieron.

545 A cabo de tres días   fueron de Dios oídos,
abrió Peidro los ojos   que tenié concloídos,
foron los quel costavan   alegres e guaridos,
non querrién por grand cosa   non seer y venidos.

546 Quando ovo la lumne   de los ojos cobrada,
credió que su facienda   serié bien recabdada;
fo tendiendo los braços,   alimpiando su cara,
la dolor de las piernas   fo toda amansada.

547 Gracias a Jhesu Christo   e al buen confessor,
fo sano el enfermo   de todo el dolor,
mas era tan desfecho   que non avié valor
de andar de sus piedes   el pobre pecador.

543c   *el monumento,* "el sepulcro". Adviértase que la tumba del santo se hallaba en el claustro de Silos, cerca de la puerta de San Miguel, hasta el 5 de enero de 1076, cuando el obispo de Burgos trasladó el cuerpo a una tumba nueva, bajo un altar, en la iglesia del monasterio.

544a   Referencia al «triduo», es decir, tres días de ejercicios devotos.

548 Con la salut a una   que li avié Dios dada,
ovo Peidro la fuerça   bien aína cobrada,
despidiós del convento   e de la su mesnada,
sano e bien alegre   tornó a su posada.

549 De Tabladiello era   un barón lisionado,
era, como leemos,   Ananía clamado,
era de mala guisa   de gota entecado,
bien avié quatro meses   que iazié lechigado.

550 Avié el mesquiniello   los braços encorvados,
teniélos enduridos,   a los pechos plegados,
ni los podié tender   ni tenerlos alçados,
ni meter en su boca   uno ni dos bocados.

551 Como suelen las nuevas   por el mundo correr,
de sanar los enfermos,   la salut lis render,
do iacié el enfermo   óvolo a saber
cómo Sancto Domingo   aví tan grand poder.

552 Fíçose aguisar   el enfermo lazrado,
entraron en carrera   quando fo aguisado,
vinieron al sepulcro   del confessor onrado,
que pora españoles   fue en bon punto nado.

548a   *a una*, "juntamente".
549a   El antiguo Val de Tabladillo quedaba cerca de Santibáñez del Val, a
5 kilómetros al oeste de Silos. Existía allí el monasterio benedictino de San Juan
de Tabladillo, destruido por Almanzor en 979.
551d   Cfr. nota 337d.
552d   *españoles,* más que asignarle a Berceo un sentido claro de la unidad
geográfica y espiritual de España, como creen algunos comentaristas, conviene
destacar en ese caso una posible contraposición étnica entre «españoles» (o sea,
cristianos por excelencia) y «moros» (no cristianos e infieles); *en bon punto nado,*
este sintagma pertenece a la categoría de los epítetos épicos.

553 Parientes del enfermo   e otros serviciales,
    compraron mucha cera,   ficieron estadales,
    cercaron el sepulcro   de cirios bien cabdales,
    teniendo sus vigilias,   clamores generales.

554 Fueron de Dios oídos   de lo que demandavan,
    soltáronse los braços   que contrechos estavan,
    quedaron los dolores   que mucho lo quexavan,
    los que li seyén cerca   muy afirmes ploravan.

555 Fueronli los sos miembros   de los dolores sanos,
    alçava Ananías   a Dios ambas las manos,
    cantavan a Dios laudes   essos bonos christianos,
    los que con él vinieron   estavan ya loçanos.

556 Como fue el enfermo   mucho desbaratado,
    non pudo exir ende   fasta fo aforçado;
    quando andar se trovo,   de todos agraciado,
    tornó a Tabladiello   alegre e pagado.

557 Una muger que era   natural de Palencia,
    cayó por sus pecados   en fiera pestilencia,
    non avié de oír   nin de fablar potencia,
    era de su sentido   en sobra grand fallencia.

558 Sábado a la tarde,   las viésperas tocadas,
    ivan pora oírlas   las yentes aguisadas
    con paños festivales,   sus cabeças lavadas,
    los barones delante   e aprés las tocadas.

559 Esta mugier non quiso   a la eglesia ir,
    como todos los otros   las viésperas oír,

553b *estadales*, "cirios". «Estadal de cera» es la hilada o torcido que se hace
con hilos y cera.
556c *se trovo*, "se atrevió".
558d *e aprés las tocadas*, "y detrás las mujeres".

mas quiso fer su massa,   delgaçar e premir,
ir con ella al forno,   su voluntad complir.

560 Dios esta grand soberbia   no la quiso sofrir,
tollóli el fablar,   tollóli el oír,
aún sin esto todo   quísola más batir,
que sopiessen los omnes   qué val a Dios servir.

561 Andavan por su dueña   plorando los sirvientes,
doliénse d'ela mucho   todos sus conoscientes;
vecinos e amigos,   todos eran dolientes,
mas la peor manciella   cadié ennos parientes.

562 Mientre que esta dueña   en tal coita sedié,
e de parte del mundo   consejo nol vinié,
membrólis del conféssor   que en Silos iacié,
e de tantos miráculos   que Dios por él facié.

563 Prisieron la enferma   omes sus naturales,
los que más li costavan,   sus parientes carnales;
pusiéronla en bestia   con muchos de mencales,
fueron con ella omnes   comol convenién tales.

564 Vinieron al sepulcro   el domingo mañana,
echaron la enferma   sobre la tierra plana,
yoguieron y con ella   toda essa semana,
rogando al conféssor   que la tornasse sana.

565 Quando vino la noche   del sabado ixient,
por velar al sepulcro   vino y mucha yent;

_____

559c *delgaçar e premir*, "adelgazar y apretar". Berceo describe con detalles
los·movimientos del amasar.
560c *batir*, "golpear".
563b *los que más li costavan*, "los que le eran más íntimos".
563c *mencales*, "monedas", arabismo.
565a Se refiere a la noche del sábado al domingo.

    tovieron sus clamores   todos de buena mient,
    que la ficiesse Dios   fablante e udient.

566 Los matines cantados,   la prima celebrada,
    entraron a la missa,   la que dicen privada;
    sedién pora oírla   toda la gent quedada,
    era bien la eglesia   de candelas pobladas.

567 La lección acabada   que es de Sapïencia,
    el preste a siniestro   fiço su diferencia;
    luego que ovo dicho   el leedor: "Sequencia",
    "Gloria tibi Domine"   dixo la de Palencia.

568 Ovieron del miraclo   las yentes gran plazer,
    non podién de gran goço   las lágremas tener;
    empeçaron los monges   las campanas tañer,
    a cantar el "Te Deum   laudamus" a poder.

569 Quando la "Ite Missa"   fo en cabo cantada,
    fo ella bien guarida,   en su virtud tornada;
    ofreció al sepulcro   su ofrenda onrada,
    despidióse de todos,   fosse a su posada.

570 Desende adelant,   esto es de creer,
    las viésperas del sábado   no las quiso perder,

565c   *tovieron sus clamores,* "hicieron sus oficios y salmos penitenciales".

566b   Se refiere a la misa separada que decían particularmente para la enferma.

567a   Alude probablemente a la misa de la Virgen cuya epístola está tomada del libro de la Sabiduría.

567b   *diferencia,* es la lectura del gradual, alleluya y tracto. Se hace a la izquierda *(a siniestro)* del altar.

567c   *Sequencia,* es decir, la palabra que señala la introducción al evangelio.

567d   Al cumplir la enferma la respuesta de los fieles, se pone de manifiesto su curación, puesto que antes le faltaban la palabra y el oído.

568d   *a poder,* "con fuerza".

569a   *Ite Missa,* es decir, la fórmula que se empleaba para señalar el fin de la misa en latín («Ite, Missa est»).

non tovo a tal ora   su massa por cocer,
oro majado luce,   podédeslo veer.

571 En essi día misme   que ésta guareció,
alumnó y un ciego,   en Espeja nació;
Johanes avié nomne,   si otri non mintió,
el que primeramientre   la gesta escrivió.

572 Una ciega mezquina   era asturïana,
natural de la villa   que dicen Cornejana,
tanto vedié a viésperas   quanto enna mañana,
bien avié treinta meses   que non fuera bien sana.

573 Sancha era su nomne,   dizlo la escriptura,
vivié la mesquiniella   en muy grande rencura,
ca omne que non vede   iaz en grand angostura,
nin sabe dó iaz Burgos   nin dó Estremadura.

574 Priso su guïonage   que la solié guiar,
metióse en carrera,   pensó de presear;
iva al cuerpo sancto   merced li demandar,
iva bien fïuzante   que la podrié ganar.

575 Quando vino la ciega   delant el cuerpo sancto,
dio consigo en tierra,   priso muy grand quebranto:

570d   *oro majado luce,* expresión perteneciente al dominio de los proverbios.
571b   *Espeja,* comparando este topónimo con el que nos ofrece Grimaldus en su *Vita* del santo ("es vico Spelionensi"), resulta que no se trata de Espeja de San Marcelino, lugar entre Silos y Osma, sino de Espejón, pueblecito cercano a Espeja, a 20 kilómetros al sureste de Silos.
571cd   Referencia explícita a Grimaldus que en dicho lugar escribe: "Cecus quidam Johannes nomine ex vico Spelionensi...".
572b   *Cornejana,* Cornellana, en la provincia de Oviedo.
572d   *bien avié treinta meses,* también en los detalles Berceo se atiene estrictamente a su fuente latina. Aquí, por ejemplo, Grimaldus refiere que la mencionada mujer "*per spatium duorum annorum ac dimidii* in cecitate assidua perdurabat".
573a   *dizlo la escriptura,* "Mulier ceca, nomine Sancia...".
574b   *presear,* "apresurarse, acelerar el paso".

"Señor —dixo— e padre,   que iazes so est canto,
tú torna la cabeça   contra esti mi planto.

576 Señor que as de Christo   ganado tal poder,
     fazes fablar los mudos   e los ciegos veer,
     tú me gana la lumne,   déñame guarecer,
     que pueda las tus laudes   por el mundo traer".

577 La oración complida,   grado al buen Señor,
     obró la virtud sancta   del sancto confessor;
     alumnó la mesquina,   ficieron gran clamor,
     tornó a Cornejana   sin otro guiador.

578 En Agosín morava   otra que non vedié,
     María avié nomne,   en cueta grand vivié,
     andava santüarios   quantos saber podié,
     mas nunqua mejorava   ca Dios no lo querié.

579 Fo a Sancto Domingo   merced li demandar,
     tovo su tridüano   delant el su altar;
     plorando de los ojos   contendié en orar,
     pensava el conviento   de bien la ayudar.

580 A cabo de tres días   la virtud fo venida,
     gracias al bon conféssor   la ciega fue guarida;
     ofreció lo que pudo,   e la missa oída,
     tornó pora su casa,   fo sana en su vida.

578a   *Agosín,* Ausín o Los Ausines, pueblo de la provincia de Burgos, cercano
a la villa de Lara.

578c   *andava santüarios,* "visitaba santuarios".

579b   *tridüano,* cfr. nota 544a; *delant el su altar,* es decir, en la iglesia delante
el altar del santo. Recuérdese que la traslación del cuerpo del santo a la iglesia
tuvo lugar el 5 de enero de 1076 (cfr. nota 543c).

579c   *plorando de los ojos,* el tópico «llorar de los ojos» era fórmula consagrada
para expresar el llanto (de dolor o de gozo) en los cantares de gesta. El tópico
pasó de los juglares a los clérigos como fórmula corriente del dolor.

581 De otra paralítica   vos queremos contar,
    que non avié poder   de sus miembros mandar;
    natural de Fuent Oria   segundo mi coidar,
    María avié nomne,   non cueido y pecar.

582 Non andarié en piedes   nin prendrié de las manos,
    qui la ficiesse dueña   de moros e christianos;
    que yacié en tal pena   avié muchos veranos,
    aviénna desleída   los dolores cutianos.

583 Non entendién en ella   de vida nul consejo,
    los uessos avié solos,   cubiertos de pellejo,
    domingos e cutianos   lazrava en parejo,
    doliélis la su coita   a todo el concejo.

584 Odié la mesquiniella   todos estos roídos,
    señor Sancto Domingo   quantos avié guaridos;
    dizié a los parientes   metiendo apellidos:
    "Levadme al sepulcro   do sanan los tollidos".

585 Prisiéronla los omes   a qui dolié su mal,
    cargáronla en andas   presa con un dogal,
    fueron poral sepulcro   del confessor cabdal,
    en qui avié Dios puesta   gracia tan natural.

581c   *Fuent Oria,* el original de Grimaldus dice: "Mulier quedam vocitata Maria ex villa que dicitur *Fortis* orta", con referencia a Villafuerte, villa de la provincia de Burgos, al norte de Lerma, ayuntamiento de Villangómez. Berceo in-
terpreta Fuent Oria (o sea, Hontoria de Valdearados u Hontoria del Pinar, las
dos a unos 25 kilómetros de Silos), equivocando el nombre latino de la manera
siguiente: «Fortis orta→Fontis Oria»; *segundo mi coidar,* "en mi opinión", lo cual
demuestra que Berceo no estaba seguro de la lectura del topónimo.
582ab   Expresión paradójica que sirve para subrayar la gravedad del estado
de la enferma.
582d   *aviénna desleída,* "la habían extenuado".
584ab   Se encuentra aquí un ejemplo de la construcción suelta, propia de la
poesía narrativa medieval. De hecho, la posposición de *quantos* confiere a la frase objetiva un aspecto de simple acumulación.
585b   *dogal,* "lazo, ramal, cabestro".

586 Levaron la enferma   al sepulcro glorioso,
    de qui manava tanto   miráculo precioso;
    pusiéronla delante   al padre poderoso,
    yazié ella ganiendo   como gato sarnoso.

587 En toda essa noche   non pegaron los ojos,
    faziendo oraciones,   fincando los inojos,
    quemando de candelas   mucho grandes manojos,
    prometiendo ofrendas,   ovejas e añojos.

588 La noche escorrida,   luego a los alvores,
    celebraron la missa,   tovieron sus clamores,
    fueron poco a poco   fuyendo los dolores,
    dixo la paralítica: "A Dios rendo loores".

589 Sanó la paralítica   de la enfermedad,
    mas non pudo tan luego   vencer la flaquedad;
    pero fiçoli Christo   aína pïadad,
    tornóse en sus piedes   pora su vecindad.

590 Todos dicién que ésta   era virtud complida,
    que sanó tan aína   cosa tan deleída,
    ca tanto la contavan   como cosa transida,
    e de muerta que era   que la tornó a vida.

591 Era un ome pobre   que avié fiero mal,
    Cid lo clamavan todos,   su nomne era tal;
    que non podié moverse   passó grand temporal,
    non ixié solamientre   del lecho al corral.

586d   Berceo exagera el lamentable estado de la enferma con expresiones rea-
listas extraídas del lenguaje popular.

587d   *añojos*, "corderos".

591b   Grimaldus escribe: "Quidam pauper, nomine Citus, ex Castro Muniensi
oriundus..." Adviértase que en este caso Berceo omite el topónimo (es decir,
Muño que está a 22 kilómetros al suroeste de Burgos).

591c   "hacía mucho tiempo que no podía moverse".

592 Más avié de tres años   e non quatro complidos,
    que avié de podagra   los piedes cofondidos;
    udió del buen conféssor   andar estos roídos,
    como fazié miraclos   grandes e conoscidos.

593 Rogó a omnes bonos   de la su vecindad,
    allá que lo levassen   por Dios e caridad;
    eran los omnes bonos,   moviólos pïadad,
    ovieron a levarlo   a essa sanctidad.

594 Yogo una semana   delant el confessor,
    tenién por él cutiano   el convento clamor;
    en el octavo día,   a la missa mayor,
    fo guarido el Cide,   foída la dolor.

595 Quando sintió que era   de sos piedes guarido,
    alçó ambas las manos   en tierra debatido:
    "Señor —dixo— tú seas   laudado e gradido,
    que ruego de tus siervos   nol echas en oblido".

596 Fizo al cuerpo sancto   prieces multiplicadas,
    despidióse de todos   tres o quatro vegadas,
    metióse en carrera   faciendo sus jornadas,
    eran todas las yentes   del miraglo pagadas.

597 Avié otro contrecto   que non podié andar,
    non vedié de los ojos   más que con el polgar,
    yacié como un cepo   quedo en un logar,
    fuera lo que pidié   ál non podié ganar.

598 Sancho era clamado   esti barón contrecho,
    que avié muy grand tiempo   que non salié del lecho,

592b *podagra,* "gota". Recuérdese que etimológicamente es «trampa que coge el pie».
596b *tres o quatro vegadas,* otra expresión realista que sirve para subrayar el efusivo agradecimiento del enfermo curado.
598a Grimaldus escribe: "Vir quidam, Sancius nomine, ortus ex villa que vocatur Kobaense vulgari lingua..." Berceo omite nuevamente el topónimo (o sea, Alcoba, lugar entre Osma y Silos).

tanto vedié de fuera   quanto dïús el techo,
por quequiere quel vino   assaz era maltrecho.

599 Entender lo podemos   que yazié muy lazrado,
ca avié doble pena   e lacerio doblado;
dizié que lo levassen   al conféssor nomnado,
sólo que y plegasse   luego serié folgado.

600 Ovo de bonos omnes   que lo empïadaron,
leváronlo al túmulo,   ant élli lo echaron,
a Dios e al conféssor   por él mercet clamaron,
por la salut de Sancho   de voluntad rogaron.

601 Por amor del conféssor   valió el Criador,
gareció al enfermo   de toda la dolor,
vido bien de los ojos   como nunqua mejor,
andava de los piedes   a todo su sabor.

602 Tornó pora su casa   guarido e gozoso,
predicando las nuevas   del conféssor glorioso;
todos dicién que era   sancto maravilloso
que pora los coitados   era tan pïadoso.

603 Fruela fo de Coriel,   Muño de Villanueva,
ambos eran contrechos,   el escripto lo prueva,
ambos yazién travados   como presos en cueva,
si los ficiessen reyes   non irién a Burueva.

_____

598c   *dïús el techo,* "debajo del techo". Otro rasgo realista descendiente del lenguaje popular.

598d   "sea cual fuera la razón por la cual le vino [la ceguera], era bastante desgraciado".

603a   *Coriel... Villanueva,* Curiel, en la provincia de Valladolid, está a 5 kilómetros de Peñafiel. En cuanto a Villanueva, debido a la gran difusión de este topónimo, no puede establecerse exactamente la referencia geográfica. Sólo cabe advertir que en las cercanías de Silos se halla un lugar llamado Villanueva de Carazo.

603d   Expresión realista extraída del dominio paremiológico. Bureba es un valle al norte de Burgos.

604 Vinieron estos ambos,   quisque de su partida,
    al sepulcro del padre   de la preciosa vida,
    tovieron sus vigilias   de voluntad complida,
    fo la petición sua   del Criador oída.

605 Gracias al bon conféssor   aína recabdaron,
    lo que a Dios pidieron   aína lo ganaron,
    guarieron de los piedes,   el andamio cobraron,
    pagados e alegres   a sus casas tornaron.

606 De Enebreda era   una mugier lazrada,
    avié la mano seca,   la lengua embargada,
    nin prendié de la mano   nin podié fablar nada,
    avié assaz lazerio,   cosa tan entecada.

607 Fo a Sancto Domingo   a merced li clamar,
    cadió ant él a prieces   mas non podié fablar;
    mas el Señor que sabe   la voluntad judgar,
    entendió qué buscava   e quísogelo dar.

608 Guareció de la mano   que tenié trasecada,
    soltóseli la lengua   que tenié mal travada,
    rendió gracias al padre,   señor de la posada,
    tornó a Enebreda   de sus cuetas librada.

609 Caeció y un ciego,   de quál parte que vino,
    non departe la villa   muy bien el pargamino,
    ca era mala letra,   encerrado latino,
    entender no lo pudi   par sennor San Martino.

604a   *quisque de su partida,* "cada uno de su parte, de su lugar".
605c   *el andamio cobraron,* "recobraron la facultad de moverse y andar". En la Edad Media el *andamio* era el lugar por donde se anda: senda, tablado, puente, etcétera.
606a   *Enebreda,* Nebreda, pueblo entre Silos y Lerma.
609b   El topónimo que Berceo no consigue descifrar es *Alkoçarensi* ("Quidam itaque cecus, ex Alkoçarensi castro ortus..."), o sea, Alcozar, villa de la provincia de Soria, partido de Burgo de Osma.
609c   *encerrado latino,* opuesto a *román paladino* (cfr. nota 2a).

610 Yogo bien doze días   al sepulcro velando,
    plorando de los ojos,   los inojos fincando,
    con bien buena feúza   la ora esperando
    quando sintrié que ivan   los ojos allumbrando.

611 Fiço el bon conféssor   como avié costumbre,
    al ciego porfïoso   embïóli la lumbre,
    cadióli de los ojos   toda la pesadumbre,
    vedié enna eglesia   el suelo e la cumbre.

612 Quando ovo el ciego   su cosa recabdada,
    despidiósse del cuerpo   por ir a su posada;
    adussieron adiesso   una demonïada,
    que era del demonio   maltrecha e quexada.

613 Si queredes del nomne   de la dueña saber,
    Orfresa la clamavan,   devédeslo creer,
    non quisiemos la villa   en escripto meter,
    ca no es nomneziello   de muy buen parecer.

614 Metieron al enferma   entro al cuerpo sancto,
    de qui ixién virtudes   más de las que yo canto;
    el demonio en ello   prendié muy grand quebranto,
    quebrantava al cuerpo   más que solié diez tanto.

615 Doliénse de la femna   los monges del conviento,
    fueron aparejados   por fer su complimiento

610c *feúza,* "confianza".
611d O sea que el sepulcro junto al cual el ciego estuvo velando durante doce días se hallaba en el interior de la iglesia (cfr. nota 579b).
612c *adiesso,* "en seguida, al punto"; es palabra de origen incierto.
613cd El topónimo que, según Berceo, no tiene buen aspecto es el de «Mamblas» ("Mulier quidam inergumina —dice Grimaldus—, nomine Ofresa, de opido *Mamblas* vocato..."). Del latín *mammulas,* llevaba este nombre una aldea que ha desaparecido dejando rastros de su existencia en la sierra de Mamblas y en el pueblo de Mambrilla de Lara en la provincia de Burgos.
614a *entro al cuerpo sancto,* es decir, delante de la tumba en el interior de la iglesia.
614d *diez tanto,* "diez veces".

metiéronse a ello   mucho de buen taliento,
rogar a Dios quel diesse   salud e guarimiento.

616 Queque oraron ellos   mucho de grant femencia,
queque foron los otros   de muy firme creencia,
tolló Dios a la dueña   la mala pestilencia,
non ovo más en ella   el mal nulla potencia.

617 Xemena de Tordómar   perdió la una mano,
mas de las dos quál era   yo non so bien certano;
sembla la seca paja   e la sana bon grano,
la seca al ivierno,   la sana al verano.

618 Vino al cuerpo sancto   rogar doña Semena:
"Señor —dixo— e padre,   tú vees la mi pena,
non me val más la mano   que si fuesse agena,
non me torna ayuda   e tienme en cadena.

619 Señor, ruega por esta   mesquina pecadriz,
por amor del buen padre   que yaz sobre Madriz,
grand es la tu virtud,   el tu fecho lo diz,
señor, ruega por esta   mesquina pecadriz".

620 Como diz el proverbio   que fabla por raçón,
que el romero fito   éssi saca ración,
valióli a Semena   la firme oración,
e que fo porfidiosa   en la su petición.

621 Valió el buen confessor,   sanóla de la mano,
el braço que fo seco   tornó verde e sano,

616a   *Queque*, "Sea porque".
617a   *Tordómar*, pueblo de la provincia de Burgos, partido de Lerma, a orillas
del Arlanza.
619b   Con las palabras «el buen padre que yaz sobre Madriz» Berceo alude
posiblemente a San Millán, puesto que el pueblo de Madriz —hoy día desaparecido— fue, hasta el siglo xiv, el centro más importante del valle de San Millán
de la Cogolla.
620ab   Acerca de este proverbio véase la nota 105c.

si pesado fo ante,   depués fo bien liviano,
depués filó Semena   sana a su solano.

622 En Agosín morava   una ciega lazrada,
María la clamaron   de que fo baptizada;
confondióli los ojos   malatía coitada,
si yoguiesse en cárcel   non yazrié más cerrada.

623 Rogó que la levassen   do los otros sanaron,
ond los que foron ciegos   allumnados tornaron;
prisiéronla algunos   que la empïadaron,
al sepulcro glorioso   a los pies la echaron.

624 Dixo a grandes voces   la ciega mezquiniella:
"Udasme, padre sancto,   padrón de la Castiella,
tuelle de los mis ojos   esta tan grand manciella,
que pueda con mi lumne   tornar a mi casiella."

625 Fo oída la ciega   de lo que demandava,
por amor del conféssor   a qui ella rogava;
perdió la ceguedad   por qui presa andava,
tornó Agosín sana,   lo que ella buscava.

626 La ciega allumnada   e ida su carrera,
vino un demoniado,   de Celleruelo era,
Dïago avié nomne,   esto es cosa vera,
assí lo escrivieron   a la sazón primera.

621d   "después Jimena, ya sana, pudo hilar en la solana de su casa".
622a   *Agosín,* cfr. nota 578a.
624b   *Udasme,* "óyeme".
625d   *tornó Agosín,* posible calco sintáctico del latín *rediit Agosinam.*
626b   *Celleruelo,* de los cuatro «Cilleruelos» de la provincia de Burgos y zona de influencia de Silos, los llamados Cilleruelo de Arriba y Cilleruelo de Abajo, ambos del partido de Lerma, son los más verosímiles por su mayor cercanía a Silos.
626d   En efecto, Grimaldus escribe: "Erat quidam homo, nomine *Didaco...*".

627 Avié un fuert demonio,   prendiélo a menudo,
     oras lo facié sordo,   oras lo facié mudo,
     faciél a las devezes   dar un grito agudo,
     el mal huésped faciélo   seer loco sabudo.

628 Si non porque estava   preso e bien legado,
     farié malos trebejos,   juego desaborado,
     o a sí o a otri   dañarié de buen grado,
     como non avié seso   era mucho osado.

629 Vivién en esta coita   con él noches e días,
     si lo dixassen suelto   farié grandes follías,
     querriénlo veer muerto   los tíos e las tías,
     ca dicié dichos locos   e palabras radías.

630 Asmaron un consejo,   de Dios fo embïado,
     levarlo al sepulcro   del buen escapulado
     que fo abad de Silos   e es y adorado,
     serié por aventura   del demonio librado.

631 Metiéronlo en obra   lo que avién asmado,
     fo el omne enfermo   al sepulcro levado;
     metiéronlo en manos   del conviento onrado,
     por miedo de fallencia   levávanlo legado.

632 Los monges de la casa,   complidos de bondad,
     nodridos del bon padre   de la grand sanctidad,
     ficieron contra él   toda humilidad,
     pusiéronse con élli   de toda voluntad.

633 Pusiéronse por élli   los perfectos christianos,
     soltáronli los piedes,   sí ficieron las manos,

627c   *a las devezes,* "algunas veces".
627d   *faciélo seer loco sabudo,* "lo volvía loco perdido".
633a   Repetición, con una pequeña variante, del primer hemistiquio del verso
anterior. Veáse nota 489a.

fazién por él vigilias   e clamores cutianos,
non serién más solícitos   si fuessen sos ermanos.

634 Fueron las oraciones   del Criador oídas,
non fueron las vigilias   en vacío caídas,
obró el buen conféssor   de las mañas complidas,
guareció el enfermo   de las graves feridas.

635 Sano e bien alegre   tornó a Cellervelo,
facién con él grand goço   los que solién fer duelo,
dicién por el buen padre,   el grand e el niñuelo,
que sabié al demonio   echar bien el anzuelo.

636 Quiérovos tres miraclos   en uno ajuntar, ·
porque son semejantes   quiérolos aungar;
tres mugieres enfermas,   mas no de un logar,
que todas guarecieron   delant el su altar.

637 Una fo de Olmiellos,   Oveña por nomnada,
la segunda de Yécola,   María fo clamada,
Olalla avié nomne   la tercera lazrada,
d'estas tres cada una   era demonïada.

638 Todas aquestas femnas   eran demonïadas,
vivién en grand miseria,   eran mucho lazradas;
avién las mesquiniellas   las yentes enojadas,
ca cadién a menudo   en tierra quebrantadas.

636a   De hecho, Berceo reúne aquí los milagros relatados por Grimaldus en tres capítulos distintos.

637a   *Olmiellos,* de entre las varias localidades que llevan este nombre en las provincias de Burgos, Palencia y Segovia, es posible que Berceo remita a Olmillos de Muño, provincia de Burgos, partido judicial de Lerma, por su proximidad a Silos.

637b   *Yécola,* cfr. nota 419a.

637c   *Olalla,* según Grimaldus, esta pobre enferma residía en la "villa que dicitur Sancta Maria", posiblemente Santa María de Mercadillo, en las cercanías de Silos. Berceo omite dicho topónimo.

639 Levaron gran lacerio   por muchas de maneras,
    teniendo abstinencias,   andando por carreras,
    prendiendo sorrostradas,   cayendo en fogueras,
    trayén las mesquiniellas   lisionadas ogeras.

640 Guarir non las podieron   ningunas maestrías,
    nin cartas nin escantos   nin otras eresías,
    nin vigilias nin lágremas   nin luengas romerías,
    si no Sancto Domingo,   padrón de las mongías.

641 En cabo, al su cuerpo   ovieron de venir,
    fasta que y vinieron   non pudieron guarir;
    ovieron de sus casas   con coita de exir,
    fueron al cuerpo sancto   a merced li pedir.

642 El conviento de Silos,   ordenados barones,
    por dolor d'estas femnas   ficieron processiones;
    facién ant el sepulcro   prieces e oraciones,
    non tenién los demonios   sanos los coraçones.

643 Guarieron bien en cabo,   las enfermas mesquinas,
    quando guaridas fueron   teniénsse por reínas,
    laudavan al conféssor   de voluntades finas,
    facién con ellas goço   vecinos e vecinas.

644 Un precioso miráculo   vos queremos decir,
    devedes a oírlo   las orejas abrir,
    de firme voluntad   lo devedes oír,
    veredes al buen padre   en buen precio sobir.

645 Cozcorrita li dicen,   cerca es de Tirón,
    end era natural   un precioso peón,

640ab   Alusión explícita a las hechicerías que se practicaban con mayor frecuencia en aquel entonces para sanar a los posesos.

640c   *luengas romerías,* posible alusión a las largas peregrinaciones hacia Santiago de Compostela.

645a   Grimaldus habla de un pueblo "qui Coscorrita vocatur", que Berceo identifica con Cuzcurrita de Río Tirón, en la Rioja Alta, cerca de Haro. Pero por la fecha en que ocurrió el cautiverio de Serván (hacia 1088), debe tratarse de Cozcorrita, provincia de Soria, lugar que estaba cerca de Medinaceli (cfr. 464b), entonces en poder de los moros.

Serván era su nomne,   assí diz la lección,
quiso fer mal a moros,   cayó en su presón.

646 Cayó en malas manos   el peón esforçado,
fo a Medina Célima   en cadena levado,
metiéronlo en cárcel   de fierros bien cargado,
en logar muy estrecho,   de tapias bien cercado.

647 Dávanli presón mala   los moros renegados,
coitávalo la famne   e los fierros pesados,
lazrava entre día   con otros cativados,
de noche yazié preso   so muy malos candados.

648 Dávanli a las vezes   feridas con açotes,
lo que más li pesava,   odiendo malos motes,
ca clamávanlos canes,   ereges e arlotes,
faziéndolis escarnios   e laidos estribotes.

649 Serván con la grand coita   non sopo dó tornar,
si non en Jhesu Christo,   empeçól de rogar:
"Señor —dixo— que mandas   los vientos e el mar,
préndate de mí duelo,   deña a mí catar.

650 Señor, de otras partes   consejo non espero,
si non de Ti que eres   Criador verdadero,
Tú eres tres personas,   un Dios solo, señero,
que criesti las cosas   sin otro consejero.

651 So de los enemigos   de la cruz afontado,
porque tengo tu nomne   so d'ellos malmenado;

646b *Medina Célima,* es la grafía más frecuente en documentos y cronicones de los siglos XI y XII. Fue reconquistada una primera vez por Alfonso VI hacia 1090. Volvió a los musulmanes en 1104 y fue reconquistada finalmente por Alfonso VII en 1124.

648c *arlotes,* "malos, bribones".

648d *laidos estribotes,* "torpes canciones". El término «estribote» designaba una composición satírica o de burla.

Señor, que por mí fuste   muerto e martiriado,
la tu misericordia   vença al mi pecado."

652 Quando ovo Servante   la oración complida,
cerca era de gallos,   media noche trocida;
adurmióse un poco,   cansado sin medida,
era ya desperado   de salud e de vida.

653 Por medio de la cárcel   entró un resplendor,
despertó a sos oras,   ovo d'ello pavor,
levantó la cabeça,   nomnó al Criador,
fizo cruz en su cara,   dixo: "¡Valme, Señor!"

654 Semejóli que vido   un ome blanqueado,
como si fuesse clérigo   de missa ordenado,
estava el cativo   durament espantado,
bolbióse la cabeça,   echóse abuçado.

655 "Serván, non ayas miedo   —dixo el revestido—,
sepas certeramente   eres de Dios oído,
por sacarte d'aquende   so de Dios trametido,
tente con Dios a una   por de coita exido."

656 "Señor —dixo el preso—   si eres tú tal cosa,
que me digas qui eres,   por Dios e la Gloriosa,
non sea engañado   de fantasma mintrosa,
ca creo en don Christo,   enna su muert preciosa."

657 Recudióli e díxol   el sancto mensagero:
"Yo so freire Domingo,   que fu monge claustrero,

652b   Aquí se hace referencia a los gallos que cantan después de medianoche (*media noche trocida*) y antes del amanecer. Se llamaban *mediados gallos* diferenciándose en esto de los *gallos primeros* mencionados en 458c.
654d   *echóse abuçado*, "se echó de bruces".

abbad fúi de Silos,   maguer non derechero,
y fúi soterrado   dentro en un tablero."

658 "Señor —dixo el preso—   ¿cómo puedo exir
quando de mí non puedo   los fierros sacudir?
Si tú tal menge eres   que me vienes guarir,
tú deves pora esto   consejo adozir."

659 Señor Sancto Domingo   dióli un majadero,
de fuste era todo,   nin fierro nin azero;
molió todos los fierros   con essi dulz madero,
non moldrié más aína   ajos en el mortero.

660 Quando ovo las cormas   molidas e cortadas,
mandólo que ixiesse   sin miedo, a osadas;
dixo él que las tapias   eran mucho alçadas,
non tenié por sobirlas   escaleras nin gradas.

661 El sancto mensagero   que de suso sedié,
echóli una soga,   a mano la tenié;
ciñóse bien el preso   que de yuso yazié,
el cabo de la soga   el otro lo tenié.

662 Tirólo con sus fierros   el que sedié de suso,
tan rehez lo tirava   como farié un fuso;
a puerta de la cárcel   bien aína lo puso,
de sacar los cativos   estonz priso el uso.

663 Dixo el buen conféssor: "Amigo, vé tu vía,
abiertas son las puertas,   duerme la muzlemía,
non avrás nul travajo   ca avrás bona guía,
serás bien allongado   quando fuere de día.

657c   *maguer non derechero,* fórmula de modestia un poco insólita porque resulta asignada a una aparición sobrenatural.
657d   *tablero,* "caja de tablas, féretro".
659b   *de fuste,* "de madera".

664 De quanto ir pudieres   embargado no seas,
    vé al mi monesterio   con estas herropeas,
    ponlas sobrel sepulcro   do yacen carnes meas,
    non avrás nul embargo,   esto bien me lo creas."

665 Quando d'esta manera   lo ovo castigado,
    tollóseli delante   el barón blanqueado;
    Servand movióse luego,   non sovo embargado,
    ningún de los postigos   non sovo encerrado.

666 Quando vino el día   fo él bien allongado,
    nin perdió la carrera   nin andido errado,
    nul embargo non ovo,   tanto fo bien guiado,
    plegó al monesterio   como li fo mandado.

667 Era por abentura   festa bien señalada,
    el día en que fuera   la eglesia sagrada;
    avié grand clericía   por la fiesta plegada,
    la yente de los legos   adur serié contada.

668 Un cardenal de Roma   que vino por legado,
    facié estonz concilio,   Ricart era nomnado;
    de bispos e abades   avié hy un fonsado,
    ca viniera con ellos   mucho buen coronado.

669 Entró esti cativo   de sus fierros cargado,
    con pobre almesía   e con pobre calçado,
    con sus crines treçadas,   de barba bien vellado,
    fo caer al sepulcro   del confessor onrado.

_____

664c   Era buena costumbre de los cautivos libertados por el santo dejar sus
cadenas en la iglesia de Silos.

667b   La consagración de la iglesia de Silos tuvo lugar en el año 1088; es
posible que en el mismo año se consagrara también el claustro.

668ab   El cardenal Ricardo, abad de San Víctor de Marsella, había sido en-
viado a España como delegado por el papa Gregorio VII. En 1080 presidió el
Concilio de Burgos en el que se decretó la abolición del rito mozárabe. En 1088,
después del Concilio de Husillos, presidió la consagración solemne de la iglesia
de Silos con los obispos Pierre de Aix, Gómez de Burgos y Raimundo de Roda.

669c   *con sus crines treçadas,* "con sus cabellos trenzados".

670 "Señor —dixo— e padre,   yo a ti lo gradesco,
     en tierra de christianos   yo por ti aparesco,
     por ti exí de cárcel,   sé que por ti guaresco,
     como tú me mandesti,   los fierros te ofresco."

671 Fízose el roído   por toda la cibdad,
     que el sancto conféssor   ficiera tal bondad;
     non fincó en la villa   obispo ni abad,
     que a Servand non fiço   muy grand sollempnidad.

672 El legado meísmo   con tanto buen barón,
     cantando "Tibi laus",   fizo grand processión,
     desende "Iste Sanctus",   aprés la oración;
     ovieron essi día   las yentes grand perdón.

673 Vidieron el conféssor   que era alta cosa,
     que tan grand virtud fiço   e tan maravillosa,
     dicién que tal tesoro,   candela tan lumnosa,
     devié seer metida   en arca más preciosa.

674 Maguer que era ante   por precioso contado,
     desende adelante   fo mucho más preciado;
     predicólo en Roma   don Ricart el legado,
     fo por sancto complido   del papa otorgado.

675 Dos mugieres contrechas,   una de una mano,
     la otra de entrambas,   sanó est buen serrano;

672b *Tibi laus,* himno procesionario que se cantaba tradicionalmente al re-
torno de un cautivo.

672c *Iste Sanctus,* antífona del común de los santos.

674cd Tras la vuelta a Roma del cardenal Ricardo, al papa Urbano II (1088-
1099), proclamó la santidad del abad de Silos.

ond nació tal milgrana   feliz fo el milgrano,
e feliz la milgrana   que dio tanto buen grano.

676 La una fo de Yécola,   María por nomnada,
tales avié los braços   como tabla delgada,
non podié de las manos   travar nin prender nada,
quiquier que la vidiesse   la terrié por lazrada.

677 La otra non leemos   onde fo natural,
mas sábado a viésperas   facié uno e ál,
lavava su cabeça   e varrié su corral,
cadió por essa culpa   en peligro atal.

678 Ambas aquestas femnas   que eran tan dañadas
sanó Sancto Domingo   en pocas de jornadas;
por pocas de vigilias   e pocas trasnochadas,
tornaron, Deo gracias,   sanas a sus posadas.

679 De Peña Alba era   una demonïada,
era por sus pecados   duramientre lazrada;
de la grand malatía   muda era tornada,
era de su memoria   mucho menoscabada.

680 Prendiéla a menudo   la bestia percodida,
andava en radío   como cosa tollida,

675cd "feliz fue el árbol [es decir, el convento] que dio tal fruto [Santo Domingo], y feliz el fruto que se multiplicó en buenos granos [milagros]". El juego paronomástico y la densidad de las imágenes metafóricas en estos dos versos demuestran que, al fin y al cabo, la técnica versificatoria de Berceo no era tan «ingenua» o «impresionista» como pretendían los berceístas de la primera mitad de nuestro siglo.

676a Yécola, cfr. nota 419a.

677a En efecto, Grimaldus no señala ni el lugar ni el nombre de la enferma; habla simplemente de "quedam mulier quodam die sabbati...".

679a Peña Alba, muchas localidades llevan este nombre, pero es muy posible que Berceo se refiera a Peñalva de Castro, en la provincia de Burgos, entre Silos y Aranda.

680b "andaba perdida como si fuera privada de juicio".

non trobavan consejo   por ond fuese guarida,
plazrié a sus parientes   de veerla transida.

681 Un día do andava   radía como loca,
     ella lo contó esto   con la su misma boca,
     paróseli delante   una forma non poca,
     vistié una almática   más blanca que la toca.

682 Ovo ella grand miedo,   paróse espantada,
     díxoli la imagen: "Fija, non temas nada,
     ovo de ti Dios duelo   que eres tan lazrada,
     envíate consejo   por ond seas librada.

683 Quiérote decir, fija,   que seas sabidor,
     cómo es el mi nomne   que non ayas pavor;
     yo so San Miguel,   alfériz del Criador,
     a ti so embïado   de Dios nuestro Señor.

684 Si tu guarescer quieres   d'esta tu malatía,
     vé a Sancto Domingo   de Silos la mongía,
     y trobarás consejo   a tu plazentería,
     nunqua des un dinero   en otra maestría."

685 Quando el buen archángel   la ovo castigada,
     tollóseli delante   la forma blanqueada,
     entendiólo bien ella   pero que conturbada,
     teniése de la coita   cerca de terminada.

686 Entendió el demonio   esta dicha razón,
     tomóla e maltráxola   más que otra sazón,

681a   Repetición con variantes del segundo verso de la copla anterior.
681d   O sea, el mismo vestido que llevaban las dos «visiones» en el sueño de
las tres coronas (cfr. 232a).
683c   *alfériz del Criador*, "alférez del Creador", lógicamente, porque San Miguel Arcángel fue el jefe de la milicia celestial en contra de las milicias del diablo,
según las explicaciones de los Padres de la Iglesia.
684b   *de Silos la mongía*, anteposición del determinativo por razón de aso-
nancia.

ovo muy grant despecho,   pesól de coraçón,
ca contava que era   fuera de la maisón.

687 En medio de los labros   púsoli un pedaço
de un englut muy negro,   semejava pemaço,
bien li valió a ella   un grant colpe de maço,
o de palo que viene   de muy valiente braço.

688 Maguer que manzellada   metiósse en carrera,
ca non podió tollérsela   por ninguna manera;
fue a Sancto Domingo   bien lazrada romera,
de tornar mejorada   feduzada bien era.

689 Yogo ant el sepulcro   toda una semana,
comiendo pan de ordio,   con vestidos de lana;
entrante de la otra,   el domingo mañana,
salió un sancto grano   de la sancta milgrana.

690 Tomóla el demonio   a la missa estando,
dio con ella en tierra,   trayóla malmenando,
la boca li torciendo,   las espumas echando,
faziendo gestos feos,   feos dichos fablando.

691 Començóli un monge,   siempre lo solié fer,
los sanctos exorzismos   de suso a leer;
entendió el demonio   que avié de seer,
que avié la posada   que tenié a perder.

686d   «porque daba por hecho que lo echaban de la casa (es decir, del cuerpo
de la endemoniada).»

687b   *englut... pemaço,* "engrudo... emplasto". Grimaldus habla de un «pi-
taciolus», que era un pedazo de pergamino o de cuero, pegado como un marbete
("... et insuper, quodam turpissimo *pitaciolo* os illius fortiter obstruens").

687c   *bien li valió a ella,* "le hizo el mismo efecto que".

689b   *vestidos de lana,* al igual que los «paños de lana», eran vestidos ásperos,
penitenciales.

689d   Conexión evidente con 675cd.

692 Quando vido que era   a mover de la siella,
    escupió de los labros   essa mala manziella,
    fincó limpia la cara   de essa mancebiella,
    fincaron los labriellos   limpios de la manziella.

693 Cató al leedor   essa vípera mala,
    dixo: "Non me afinques,   fraire, si Dios te vala,
    otros de ti mejores   me afincan que salga,
    cerca de ti los tienes,   a ti no te incala."

694 Dixo el leedor: "Por Christo te conjuro
    que me digas qué vedes,   que me fagas seguro,
    si non, bien te prometo,   de verdat te lo juro,
    de buscarte despecho   que me parta aduro."

695 Díxoli el demonio: "Non lo quiero negar,
    veo a Sant Martín   cerca de mí estar,
    con él Sancto Domingo,   padrón d'esti logar,
    ambos bienen, bien sepas,   por a mí guerrear.

696 Por ellos he, bien sepas,   sin grado a salir,
    por manera ninguna   non lis puedo guarir,
    ond yo rogarte quiero,   en don te lo pedir,
    que tú non te travages   tanto me perseguir."

697 Plogo al exorcista   mucho esta sentencia,
    metió en conjurarlo   mucha mayor fimencia;
    flequeció el demonio,   perdió toda potencia,
    ya querrié seer fuera   si li diessen licencia.

698 Quando a salir ovo   del cuerpo de la muda,
    metió una voz fiera,   sobre guisa aguda;

692a   "Cuando vio que tenía que mudar su asiento".
693d   *a ti no te incala,* "no te importa", porque el monje no puede enterarse de los «otros» que están a su lado.
694d   *que me parta aduro,* "que no me vaya tan fácilmente".
695b   *Sant Martín,* cfr. nota 252b.
696b   *guarir,* "contrastar".

salió el suzio malo   más pudient que ciguda,
nunca tornó en ella   con Dios e su ayuda.

699 Fue sana la enferma,   del demonio librada,
cobró toda su fabla   de que era menguada,
tornó en su estado   ond era despojada,
fue para Peña Alba   del mal bien terminada.

700 Un cavallero era   natural de Hlantada,
cavallero de precio,   de fazienda granada,
salió con su señor   que li dava soldada,
por guerrear a moros,   entrar en cavalgada.

701 Pedro era su nombre   de esti cavallero,
el escripto lo cuenta,   non joglar nin cedrero;
firieron a Alarcos   en el salto primero,
mas non fueron guiados   de sabio avorero.

702 Cuidaron traher prenda   e fueron y prendados,
cuidaron fer ganancia   e fueron engañados;

_____

698c   *más pudient que ciguda,* "más hediondo que cicuta".
700a   *Hlantada,* en el texto latino de Grimaldus se habla de «Plantata» ("Quidam miles, Petrus vocatus, de vico qui dicitur *Plantata*"). Berceo hace referencia
a un lugar, hoy desaparecido, próximo al actual Lantadilla, al lado del Pisuerga,
en el partido judicial de Carrión, provincia de Palencia. Allí tuvo lugar la batalla,
que lleva el nombre de «Llantada», entre Sancho II de Castilla y Alfonso VI de
León en el año 1068. La representación de *ll* por *hl* tiene como única documentación este topónimo de Berceo.
701b   *cedrero,* juglar de poemas narrativos. Sin embargo, aquí funciona como
sinónimo de «mentiroso», al igual que su acompañante *joglar.*
701c   *firieron a Alarcos,* "atacaron a Alarcos". En realidad, Grimaldus hace
referencia al «castrum Alaietum», o sea, al famoso castillo de Aledo (Murcia),
fabricado en 1085 por García Jiménez, lugar donde se celebró una gran batalla
entre el ejército cristiano y los almorávides en 1091. Berceo, tal vez impresionado
por la batalla de Alarcos (Ciudad Real), donde los castellanos de Alfonso VIII,
el de las Navas, sufrieron una derrota memorable el 19 de julio de 1095, sustituyó
un nombre por otro.
701d   *avorero,* "agorero, adivino".
702ab   Condensación de juegos etimológicos y paronomásticos (*prenda... prendados, ganancia... engañados*). Cfr. nota 675cd.

tomáronlos a todos   los moros renegados,
los que end escaparon   refez serién contados.

703 Los moros quando fueron   a salvo arribados,
partieron la ganancia,   los presos captivados;
fueron por el morismo   todos mal derramados,
nunca en esti mundo   se vidieron juntados.

704 Pedro, el de Hlantada,   fue a Murcia levado,
sabiélo su señor   tener bien recabdado,
no lo tenié en cárcel   mas era bien guardado,
yazié en fondo silo   de fierros bien cargado.

705 Rogavan sus parientes   por él al Criador,
e a Sancto Domingo,   precioso confessor,
que lo empïadassen   al preso pecador,
que saliesse de premia   del moro traidor.

706 E él mismo rogava   de firme coraçón,
a Dios que lo quitasse   de tan ciega prisión,
ca si non li valiesse   a poca de sazón,
serié ciego o muerto   o con grant lisïón.

707 Miércoles era tardi,   las estrellas salidas,
pero aún non eran   las gentes adormidas,
fuéronli al captivo   tales nuebas venidas
que non oyó tan buenas   nunca nin tan sabridas.

708 Entró una lucencia   grand e maravillosa
por medio de la cueva   que era tenebrosa;
espantósse el preso   de tan estraña cosa,
dixo: "¡Válasme Christo   e la Virgen gloriosa!"

703c *morismo*, la tierra de los moros.
704d *en fondo silo*, "en honda cueva, en honda mazmorra".

709 Vido forma de omne   en medio la uzera,
    semejava bien monge   en toda su manera,
    tenié un baguiliello   como qui va carrera,
    si li fablarié algo   estava en espera.

710 Clamólo por su nombre,   díxoli buen mandado:
    "Pedro —dixo— afuérçate,   olbida lo passado,
    lo que a Dios pidiste   átelo otorgado,
    serás de esta cuita   aína terminado."

711 Ovo pavor el preso   de seer embargado,
    que lo fazié el amo   que lo tenié cerrado,
    que si se levantasse   que serié mal majado,
    por escarmentar otros   serié descabeçado.

712 Recudió mansamente   el preso pecador,
    dixo: "Si non me saca   Dios, el nuestro Señor,
    o ésti qui me tiene   non me fizier amor,
    d'aquí salir non puedo,   esto me faz pavor."

713 Respondióli el otro   que li trayé las nuevas:
    "Pedro —dixo— en esto   por muy loco te pruevas;
    a Dios non se defienden   nin cárceres nin cuebas,
    que merced non te faga   a dubdar non te muevas."

714 "Señor —dixo el preso—   esta merced te pido,
    si cosa de Dios eres,   que me fagas creído,
    si eres otra cosa,   non me fagas roído,
    por ond contra mi amo   non sea mal traído.

715 Si por mi salut andas,   o quieres que te crea,
    descúbrite quí eres   por ond certero sea,

709a   *baguiliello*, "báculo, bordón".
712c   *amor*, "merced, gracia".
713c   *a Dios non se defienden*, "no son obstáculo para Dios".

ca si rafez me muevo   témome de pelea,
sé que los mis costados   sovarán la correa."

716 Descubrió el trotero   toda la poridat:
"Amigo —dixo— udi,   sabrás certenidat;
yo so fraire Domingo,   pecador de verdat,
en la casa de Silos   fui yo dicho abat.

717 Dios grant merced me fizo   por la su pïadat,
que me puso en guarda   sobre la christiandat,
que saque los captivos   de la captividat,
los que a Él se claman   de toda voluntat.

718 Las oraciones tuyas   son de Dios exaudidas,
yo, sacerdot non digno,   gelas he ofrescidas,
las preces que fizieron   tus gentes doloridas,
non son, bien me lo creas,   en vazío caídas.

719 Yo so aquí venido   por a ti visitar,
con tal visitación   déveste confortar,
deves d'esta prisión   aína escapar,
como ha de seer   quiérotelo contar.

720 Esti viernes que viene,   de cras en otro día,
día es que los moros   fazen grant alegría,
fazen como en fiesta   en comer mejoría,
el que algo se precia   non es sin compañía.

721 El señor qui te tiene,   por más se glorïar,
quiérete essi día   de la cueva sacar,

715d   *sovarán la correa,* "serán sobados por la correa". El sentido lógico (pero no el retórico) requiere una transformación de la activa en pasiva.
716a   "descubrió el mensajero todo el secreto".
716c   *pecador de verdat,* fórmula de modestia. Cfr. nota 657c.
718b   *yo, sacerdot non digno,* una vez más el santo se presenta con una fórmula de modestia (cfr. 657c; 716c).
720a   Estos mismos detalles cronológicos se encuentran ya en Grimaldus: "Post hoc biduum erit dies qui vocatur dies Veneris".
721a   *por más de glorïar,* para hacer resaltar su posición social.

con otros dos captivos   quiérevos envïar,
mientre que ellos yantan   que vayades cavar.

722 De uno de los otros   serás tu convidado
que posedes un poco,   tú posa de buen grado;
porná él su cabeça   sobre el tu costado,
quando la aya puesta   será adormidado.

723 Tú sey apercibido   fúrtateli quediello,
ponli alguna cosa   de yus el cerbiguiello;
si catares a tierra   verás que el aniello
yazrá con sus sortijas   partido del toviello.

724 Date al guarir luego,   non te quieras tardar,
por do Dios te guiare   cuídate de andar,
abrás bien guionage,   non te temas errar,
cierto seas que aves   por esto a passar."

725 Quando d'esta manera   lo ovo castigado,
tollióseli de ojos   el felix encontrado;
non fo viernes en mundo   nunca tan deseado,
non cuidava el jueves   que lo avrié passado.

726 Quando vino el biernes   abés podié quedar,
sabed que nol ovieron   dos vezes a llamar;
ante que li dixiessen: "Pedro, vé a cavar",
ante empeçó él   la açada buscar.

727 Por essa passó Pedro,   en tal guisa fue quito,
como gelo dixiera   el monge benedicto,
el qui con él fablava   cubierto del amito,
dioli por la carrera   guionage e vito.

723a *fúrtateli quediello,* "escápate calladito".
724c *cuídate de andar,* "presta atención de andar".
725d "pensaba que el jueves nunca pasaría".

728 Andando por los yermos,   por la tierra vazía,
   por do Dios lo guiava   sin otra compañía,
   todo desbaratado,   con pobre almexía,
   arribó en Toledo   en el dozeno día.

729 Contólis su lazerio   a essos toledanos,
   cómo era salido   de presión de paganos,
   cómo se li cayeron   los fierros todos sanos;
   por poco non li iban   todos besar las manos.

730 Por toda alién sierra   e por Estremadura,
   e por toda Castiella   sonó esta ventura,
   rendién al buen conféssor   gracias a grant pressura,
   teniése la frontera   toda por más segura.

731 Quiquiere que lo diga,   o muger o varón,
   que el padrón de Silos   non saca infançón,
   repiéndase del dicho,   ca non dize razón,
   denuest al buen conféssor,   prendrá mal galardón.

732 Aún porque entiendan   que non dize derecho,
   quiero juntar a éste   otro tal mismo fecho
   de otro cavallero   que nunca dio nul pecho,
   sacól Sancto Domingo   de logar muy estrecho.

733 Fita es un castillo   fuert e apoderado,
   infito e agudo,   en fondón bien poblado;

729a   *essos,* tiene el valor arcaico de simple artículo.

730a   *alién sierra,* era éste el nombre antiguo de Castilla la Nueva, al lado de otros nombres como «tras sierra» y «reino de Toledo».

731b   *infançón,* individuo correspondiente a la segunda clase de nobleza, colocada bajo la de los *ricos omnes* y sobre la de los simples *fijos dalgo.*

731d   *denuest,* forma apocopada (léase: *denuesta*).

732c   Como se sabe, los nobles no eran pecheros, o sea que no tenían la obligación de pagar ningún tributo *(pecho)* al rey.

733a   *Fita,* Hita, al norte de Guadalajara, cerca del río Henares, fue una de las fortalezas más importantes de Castilla la Nueva durante la Edad Media. Nótese el juego paronomástico entre *Fita, infito* y *fondón.*

el buen rey don Alfonso   la tenié a mandado,
el que fue de Toledo,   si no so trascordado.

734 Ribera de Henar,   dend a poca jornada,
yaze Gaudalfajara,   villa muy destemprada;
estonz de moros era,   mas bien assegurada,
ca del rey don Alfonso   era enseñorada.

735 A él servié la villa   e todas sus aldeas,
la su mano besavan,   d'él prendién halareas;
élli los menazava   meter en ferropeas,
si revolver quisiessen   con christianos peleas.

736 Cavalleros de Fita   de mala conoscencia,
nin temieron al rey,   nil dieron reverencia;
sobre Guadalfajara   fizieron atenencia,
ovieron end algunos   en cabo repintencia.

737 Sobre Guadalfajara   fizieron trasnochada,
ant que amanesciesse   echáronlis celada;
ellos eran seguros,   non se temién de nada,
fizieron grande daño   en essa cavalgada.

738 Quando en la mañana   salién a los lavores,
dieron salto en ellos   essos cavalgadores,
mataron e prendieron   muchos de labradores,
de quanto lis fallaron   non fueron más señores.

733cd   Se refiere a Alfonso VI que, después de la conquista de Toledo (1085),
añadió a sus títulos el de «Rex in Toleto».

734cd   *estonz*, o sea, en los años inmediatamente anteriores a la conquista de
Toledo, cuando los moros del Henares estaban pacificados con Alfonso y éste
los protegía.

735b   *halareas*, "mandatos".

736c   *fizieron atenencia*, "se mostraron codiciosos".

736d   *repintencia*, "arrepentimiento".

737ad   La descripción de la celada y la ocasión del ataque guardan estrecha
relación con la primera correría del Cid y toma de Castejón *(Cid*, 437-481).

737a   Repetición, con variante, del tercer verso de la copla anterior.

739 Pesó mucho al rey,   fue fuertement irado,
del Concejo de Fita   fue mucho despagado;
dizié que li avié   mal deservicio dado,
que li avién su pueblo   destructo e robado.

740 Puso dedos en cruz,   juró al Criador
que qual ellos fizieron   tal prendan o peor;
vassallo que traspassa   mandado de señor
non li devrié a cuita   valer nul fiador.

741 El rey con la grant ira   e con el grant despecho,
ca por verdat aviélo   assaz con grant derecho,
al Concejo de Fita   echólis un grant pecho,
que li diessen los omnes   que fizieron est fecho.

742 Mandólis que li diessen   todos los malfechores,
si non, ternié que todos   eran consentidores,
alcançarién a todos   los malos dessabores,
irién por una regla   justos e pecadores.

743 Quando fueron las cartas   en Concejo leídas,
temblavan muchas barbas   de cabeças fardidas;
algo darién que fuessen   las pazes bien tenidas,
darién de sus averes   bien las quatro partidas.

744 El Concejo de Fita,   firme e aforçado,
non osó traspassar   del rey el su mandado;
que fuessen a Concejo   fue el pregón echado,
fueron a poca d'ora   todos en el mercado.

740d   *a cuita,* "en apuro".

741c   *echólis un grant pecho,* es decir, impuso al concejo de Fita un gran tributo (como fianza para que entregase a los traidores).

743b   Berceo, usando con sabiduría el lenguaje de los cantares de gesta, logra expresar icónicamente los temores del concejo de notables de la villa.

744d   *en el mercado,* pues éste era el lugar en que se reunía el concejo o asamblea general de los vecinos, generalmente los domingos después de la misa, convocado a toque de campana o por medio de un pregón.

745 Ovieron un acuerdo,   mayores e menores,
    los padres e los fijos,   vasallos e señores;
    metieron en recabdo   a los cavalgadores,
    tomáronlis cablievas   e buenos fiadores.

746 Embïólis el rey,   a poca de sazón,
    que li diessen los omnes,   non dixiessen de non;
    diógelos el Concejo,   metiólos en prisión,
    tenién todos los omnes   que abrién mal perdón.

747 Avié entre los otros   uno más señalado,
    por quis guiavan otros   e fazién su mandado;
    aviél de fiera guisa   el rey amenazado,
    avié muy grande miedo   de seer justiciado.

748 Jüanes avié nombre   el dicho cavallero,
    sobre las otras mañas   era buen parentero,
    pero era tenudo   por omne derechero,
    non sabién otro yerro   si non aquel señero.

749 Rogavan por él todos   a Dios nuestro Señor,
    e a Sancto Domingo,   tan noble confessor,
    que lo empïadassen,   oviessen d'él dolor,
    si nunca lo ovieron   de algún pecador.

750 El mismo en la cárcel   esso mismo fazié,
    la lengua non folgava,   maguer preso yazié,
    a Dios e al conféssor   rogava e dizié
    que si lo dend librasse   nunca malo ferié.

745d *tomáronlis cablievas,* "les tomaron fianzas" (para que no se largasen).
746d "pensaban todos que difícilmente serían perdonados".
748a Grimaldus, al respecto, escribe: "... quidam captus, Iohannes Dominici vocatus, de villa que dicitur Avia oriundus". Berceo omite tanto el apellido *(Dominici,* es decir, Domínguez) como el lugar de nacimiento *(Avia,* o sea, Avia de las Torres, cerca de Carrión de los Condes).
748b *parentero,* o sea, hombre que, como Santo Domingo, "sirvié a los parientes de buena voluntad" (v. 10a).
748c *pero,* "por esto".

751 De quál guisa salió   dezir non lo sabría,
    ca fallesció el libro   en qui lo aprendía;
    perdióse un quaderno,   mas non por culpa mía,
    escribir a ventura   serié grande folía.

752 Si durasse el libro   nos aún durariemos,
    de fablar del buen sancto   no nos enojariemos,
    cómo salió el preso   todo lo cantariemos,
    si la lección durasse   "Tu autem" non diriemos.

753 Mas que Sancto Domingo   sacó el cavallero,
    non es esto en dubda,   so bien ende certero,
    mas de los otros presos   el judicio cabero
    yo non lo oí nunca   por sueños nin por vero.

754 Señores, demos laudes   a Dios en qui credemos,
    de qui nos viene todo   quanto bien nos avemos;
    la gesta del conféssor   en cabo la tenemos,
    lo que saver podiemos   escripto lo avemos.

755 Pero bien lo creades,   nos assí lo creemos,
    que de los sus miraglos   los diezmos non avemos,
    ca cada día crescen,   por ojo lo veemos,
    e crecerán cutiano   después que nos morremos.

756 Atal señor devemos   servir e aguardar,
    que save a sus siervos   de tal guisa honrar;
    non lo podrié nul omne   comedir ni asmar
    en quál ganancia torna   a Dios servicio far.

751c *perdióse un quaderno,* el ejemplar de la obra de Grimaldus que manejaba
Berceo tenía que ser muy defectuoso, puesto que la *Vita Dominici Siliensis,* tal
como ha llegado a nosotros, además del resto del capítulo del cautivo, contiene
en este mismo libro treinta y cuatro capítulos más, y, en un libro sucesivo, otros
cuarenta y ocho. Sin embargo, es muy posible que Berceo utilizara este detalle y
la fórmula de modestia que sigue ("escrivir a ventura serié grande folía") como
otros tantos recursos para poner fin a su poema; en otras palabras, como tópica
de la conclusión y no como referencia a una realidad concreta.

752d   *Tu autem,* o sea, la fórmula que se usa para concluir las lecciones de
maitines ("Tu autem, Domine, miserere nobis").

757 Yo Gonçalo por nombre,   clamado de Berceo,
    de Sant Millán criado,   en la su merced seo,
    de fazer est travajo   ovi muy gran deseo,
    riendo gracias a Dios   quando fecho lo veo.

758 Señor Sancto Domingo,   yo bien estó creído,
    por est poco servicio   que en él he metido,
    que fará a don Christo   por mí algún pedido,
    que me salve la alma   quando fuere transido.

759 Señores, non me puedo   assí de vos quitar,
    quiero por mi servicio   de vos algo levar;
    pero non vos querría   de mucho embargar,
    ca diçriedes que era   enojoso joglar.

760 En gracia vos lo pido   que por Dios lo fagades,
    de sendos "Pater Nostres"   que vos me acorrades,
    terréme por pagado   que bien me solladades,
    en caridad vos ruego   que luego los digades.

761 Señor Sancto Domingo,   confessor acabado,
    temido de los moros,   de christianos amado,
    señor, tú me defiende   de colpe de pecado,
    que de la su saeta   no me vea colpado.

757ab   Recuérdese que esta presencia del autor, con su nombre de pila, con su pueblo nativo y con su lugar de educación no refleja tanto un orgullo de autor como más bien la intención de lograr el perdón de sus pecados por medio de las oraciones de sus oyentes o lectores (veáse, más adelante, c. 760).

759d   *enojoso joglar,* lo mismo que «romero fito» (cfr. nota 105c).

760c   *que bien me solladades,* "que me pagáis bien". Es petición juglaresca trasladada a lo divino.

761c   *pecado,* adviértase que con esta palabra se hacía muy a menudo referencia directa al diablo.

762 Señor, padre de muchos,   siervo del Criador,
     que fust leal vassallo   de Dios nuestro Señor,
     tú seï por nos todos   contra él rogador,
     que nos salve las almas,   dénos la su amor.

763 Padre, que los cativos   sacas de las prisiones,
     a qui todos los pueblos   dan grandes bendiciones,
     señor, tú nos ayuda   que seamos varones,
     que vencer no nos puedan   las malas tentaciones.

764 Padre pleno de gracia   que por a Dios servir
     existe del poblado,   al yermo fust bevir,
     a los tuyos clamantes   tú los deña oír,
     e tú deña por ellos   a Dios merced pedir.

765 Demás, porque pudiesses   bevir más apremiado,
     de fablar sin licencia   que non fuesses ossado,
     fecist obedïencia,   fust monge encerrado,
     era del tu servicio   el Criador pagado.

766 Padre, tú nos ayuda   las almas a salvar,
     que non pueda el demon   de nos nada levar;
     señor, como sopiste   la tuya aguardar,
     rogámoste que deñes   de las nuestras pensar.

767 Padre, qui por la alma   el cuerpo aborriste,
     quando en otra mano   tu voluntad posiste,
     e tornar la cabeça   atrás nunqua quisiste,
     ruega por nos ad Dóminum   a qui tanto serviste.

762ad   Esta y las estrofas que siguen, además de la invocación a Santo Domingo, ofrecen también un pequeño resumen de los puntos principales tratados anteriormente.

764ab   Remite a las coplas 50-82.

765ad   Cfr. 83-125.

768 Padre, tú lo entiendes,   eres bien sabidor,
    cómo es el dïablo   tan sotil reboltor;
    tú passesti por todo   pero fust vencedor,
    tú nos defende d'élli   ca es can traïdor.

769 Padre, bien lo sabemos   que te quiso morder,
    mas no fo poderoso   del dient en ti poner;
    siempre en pos nos anda,   non ha otro mester,
    señor, del su mal laço   déñanos defender.

770 Padre, nuestro pecados,   nuestras iniquitades
    de fechos e de dichos   e de las voluntades,
    a ti los confessamos,   padrón de los abades,
    e merced te pedimos   que tú nos empïades.

771 Deña rescebir, padre,   la nuestra confessión,
    meti en nuestros cueres   complida contrición,
    acábdanos de Christo   alguna remissión,
    guíanos que fagamos   digna satisfación.

772 Ruega, señor e padre,   a Dios que nos dé paz,
    caridad verdadera,   la que a ti muy plaz,
    salut e tiempos bonos,   pan e vino asaz,
    e que nos dé en cabo   a veer la su faz.

773 Ruega por los enfermos,   gánalis sanidad,
    piensa de los captivos,   gánalis enguadad,
    a los peregrinantes   gana seguridad,
    que tenga a derecho   su ley la christiandad.

774 Ruega por la iglesia   a Dios que la defienda,
    que la error amate,   la caridad encienda,

768b *reboltor,* síncopa de *rebolbedor* (218c).
772c Como en otros lugares (cfr. 75d), la plegaria toma en consideración las
necesidades del ambiente rural.
773b *enguadad,* cfr. nota 76b.
774b *la error,* "la herejía".

e que siempre la aya   en su sancta comienda,
que cumpla su oficio   e sea sin contienda.

775 Quiérote por mí misme,   padre, merced clamar,
que ovi grand taliento   de seer tu joglar,
esti poco servicio   tú lo deña tomar,
e deña por Gonçalo   al Criador rogar.

776 Padre, entre los otros   a mí non desampares,
ca dicen que bien sueles   pensar de tos joglares,
Dios me dará fin buena   si tú por mí rogares,
guareçré por el ruego   de los tus paladares.

777 Devemos render gracias   al Reï spirital,
qui nos dio tal consejo,   tan nuestro natural,
por el su sancto mérito   nos guarde Dios de mal,
e nos lieve las almas   al regno celestial.

Amén

775b *joglar,* pertenece, con el primer hemistiquio del verso siguiente, a la serie
de las fórmulas de modestia.
775d   Véase nota 757ab.

POEMA DE SANTA ORIA

POEMA DE SANTA ORIA

1 En el nombre del Padre   que nos quiso criar,
  e de don Iesu Christo   que nos vino salvar,
  e del Spíritu Sancto,   lumbre de confortar,
  de una sancta virgen   quiero versificar.

2 Quiero en mi vegez,   maguer so ya cansado,
  de esta sancta virgen   romançar su dictado;
  que Dios por el su ruego   sea de mi pagado,
  e non quiera vengança   tomar del mi pecado.

3 Luego en el comienço   e en la primería
  a ella mercet pido   ella sea mi guía;
  ruegue a la Gloriosa   Madre Sancta María,
  que sea nuestra guarda   de noche e de día.

1ac   Fórmula trinitaria de encabezamiento como en *SDom* 1ac. Véase la nota correspondiente.

2a   La referencia a la vejez del poeta debe interpretarse aquí como elemento concreto y no tópico. Según éste y otros indicios, normalmente se acepta la hipótesis de que esta obra fuera la última que compuso Berceo.

2b   *dictado,* "historia escrita en latín", aludiendo a la vida latina de la santa emilianense redactada por Munio, monje de San Millán, maestro y confesor de Santa Oria. Pero, a diferencia de la vida latina de Santo Domingo compuesta por Grimaldus, la de Santa Oria no ha llegado hasta nosotros.

3a   Las iteraciones sinonímicas aparecen muy a menudo en las obras de clerecía, sobre todo en la época de su mayor rigurosidad formal (siglo XIII).

4 Essa virgen preciosa,   de quien fablar solemos,
  fue de Villa Vellayo,   segunt lo que leemos;
  Amuña fue su madre,   escripto lo tenemos,
  García fue el padre,   en letra lo avemos.

5 Muño era su nombre,   omne fue bien letrado,
  sopo bien su fazienda,   él fizo el dictado;
  aviégelo la madre   todo bien razonado,
  que non querrié mentir   por un rico condado.

6 De suso la nombramos,   acordarvos podedes,
  emparedada era,   yazié entre paredes,
  avié vida lazrada   qual entender podedes,
  si su vida leyerdes   assí lo probaredes.

7 Sanctos fueron sin dubda   e justos los parientes
  que fueron de tal fija   engendrar merecientes;
  de niñez fazié ella   fechos muy convenientes,
  sedién marabilladas   ende todas las gentes.

4a   *de quien fablar solemos,* "de quien estamos hablando".

4b   *Villa Vellayo,* pueblo de la Rioja Alta, en la provincia de Logroño. Está situado en la confluencia de los ríos Neila y Najerilla, entre la sierra de Urbión y la sierra de la Demanda.

4bd   La triple referencia a la fuente («segunt lo que leemos», «escripto lo tenemos», «en letra lo avemos») sirve para corroborar los datos que se ofrecen.

5a   *Muño,* cfr. nota 2b. Como Berceo no suele introducir a sus personajes de tan brusca o enigmática manera, puede presumirse que se ha perdido una copla que presentaría a Muño en su papel de hagiógrafo y confesor de Santa Oria.

5c   *razonado,* "relatado".

6a   Berceo se refiere a las coplas 1 y 2.

6b   Otra iteración sinonímica que sirve principalmente para subrayar la terrible condición de Santa Oria. Recibían el nombre de «emparedadas» o «reclusas», las mujeres que en la Edad Media se encerraban en una celda estrecha y con una sola ventanilla para recibir por ella el alimento. Bajo la protección y la regla de un monasterio, pasaban su vida en la contemplación de los divinos atributos y en la mortificación de sus carnes.

7c   En la mayoría de los casos, la fórmula hagiográfica requiere que los santos lo sean ya desde sus primeros años (cfr. *SDom,* cc. 9-39).

8 Como diz del apóstol   Sant Pablo la lección,
  fue esta sancta virgen   vaso de elección,
  ca puso Dios en ella   complida bendición,
  e vido en los Cielos   mucha grant visïón. *notípica*

9 Bien es que vos digamos   luego, en la entrada,
  qual nombre li pusieron   quando fue baptizada; *VSME*
  como era preciosa   más que piedra preciada,
  nombre avié de oro,   Oria era llamada.

10 Avemos en el prólogo   mucho nos detardado,
  sigamos la estoria,   esto es aguisado;
  los días son non grandes,   anochezrá privado,
  escribir en tiniebra   es un mester pesado. *invierno? edad?*

11 Fue de Villa Velayo   Amuña natural,
  el su marido sancto,   García, otro tal;
  siempre en bien punaron,   partiéronse de mal,
  cobdiciavan la gracia   del Reï celestial.

12 Omnes eran cathólicos,   vivién vida derecha, *divino*
  davan a los señores   a cascuno su pecha, *mundo*
  no fallava en ellos   el dïablo retrecha,
  el que todas sazones   a los buenos asecha.

8b *vaso de elección,* alude a la lección del 30 de junio del Breviario romano,
que reza: «Tu es vas electionis, sancte Paule Apostole», con referencia a *Hechos
de los Apóstoles,* IX, 15: «quoniam vas electionis est mihi iste».

9cd El empleo de paronomasias («preciosa», «piedra», «preciada») y otros
juegos etimológicos («oro», «Oria») le confiere a Berceo algo más que la simple
etiqueta de versificador.

10cd Si tuviera que expresar mi opinión sobre el valor (tópico [Curtius], realista [D. Alonso] o simbólico [Guillén-Ricard]) de estos versos, yo diría que los
tres valores pueden muy bien coexistir y ofrecer cada uno, en esta circunstancia
sin contradicciones, su contribución al sentido del texto.

11c *punaron,* "pugnaron, se esforzaron".

12c *retrecha,* entre los distintos significados posibles de este término el que
mejor se amolda al contexto parece ser el de "morada, refugio", al igual que el
antiguo provenzal *retrach* «morada, juicio, reproche», y *retracha* «retirada, re-
torno, refugio».

13 Nunca querién sus carnes   mantener a gran vicio,
    ponién toda femencia   en fer a Dios servicio,
    esso avién por pascua   e por muy grant delicio,
    a Dios ponién delante   en todo su oficio.

14 Rogavan a Dios siempre   de firme coraçón,
    que lis quisiesse dar   alguna criazón,
    que poral su servicio   fuesse, que por ál non,
    e siempre mejorasse   esta devoçión.

15 Si lis dio otros fijos   non lo diz la leyenda,
    mas diolis una fija   de spiritual fazienda,
    que ovo con su carne   baraja e contienda,
    por consentir al cuerpo   nunca soltó la rienda.

16 Apriso las costumbres   de los buenos parientes,
    quanto li castigavan   ponié en ellos mientes,
    con ambos sus labriellos   apretava sus dientes,
    que non salliessen dende   vierbos desconvenientes.

17 Quiso seer la madre   de más áspera vida,
    entró emparedada,   de celicio vestida,
    martiriava sus carnes   a la mayor medida,
    que non fuesse la alma   del diablo vencida.

18 Si ante fuera buena   fue después muy mejor,
    plazié el su servicio   a Dios nuestro Señor;
    los pueblos de la tierra   faziénli grant honor,
    salié a luengas tierras   la su buena loor.

19 Dexemos de la madre,   en la fija tornemos,
    essas laudes tengamos   cuyas bodas comemos;

15a   Berceo alude nuevamente a la vida latina de Oria redactada por Munio.
15b   *spiritual fazienda,* "riquezas espirituales".
18d   *luengas tierras,* "tierras lejanas".
19a   *Dexemos... tornemos,* se utilizan estas expresiones, según el estilo formulario de juglaría y clerecía, para retomar el hilo del relato interrumpido, o para
conectar dos acciones que se desarrollan simultáneamente.
19b   *bodas,* tiene aquí el sentido del portugués antiguo *bodo,* es decir, "comida
distribuida a los pobres por el alma de un difunto o por veneración a un santo".

si nos cantar sopiéremos   grant materia tenemos,
mester nos será todo   el seso que avemos.

20 Desque mudó los dientes,   luego a pocos años,
pagávase muy poco   de los seglares paños,
vistió otros vestidos   de los monges calaños,
podrién pocos dineros   valer los sus peaños.

21 Desemparó el mundo   Oria, toca negrada,   *encerrada*
en un rencón angosto   entró emparedada,
sufrié grant astinencia,   vivié vida lazrada,
por ond ganó en cabo   de Dios rica soldada.

22 Era esta reclusa   vaso de caridat,
templo de pacïencia   e de humilidat,
non amava oír   vierbos de vanidat,
luz era e confuerto   de la su vezindat.

23 Por que angosta era   la emparedación,
teniéla por muy larga   el su buen coraçón;
siempre rezava psalmos   e fazié oración,
foradava los Cielos   la su devocïón.

24 Tanto fue Dios pagado   de las sus oraciones⌉
que li mostró en Cielo   tan grandes visïones⌋
que devién a los omnes   cambiar los coraçones;
non las podrién contar   palabras nin sermones.

_____

19d *si nos cantar sopiéremos.* topos humilitatis.
20c "se puso otros vestidos, semejantes a los de los monjes".
20d *peaños,* "zapatos, calzado"; deriva del lat. **pes (pedis)**.
21a *toca negrada,* "hermana de toca negra", es decir, monja benedictina, Cfr.
SDom, 325b.
22ab *vaso de caridat, templo de...,* imágenes de ascendencia bíblica. Cfr. 8b.
23a *Por que,* vale aquí "pero que, aunque".
24d Al igual que en *SDom,* 232d, este tópico de lo indecible alude a las palabras del *Salmo* XIX, 4.

25 Tercera noche era   después de Navidat,
   de Sancta Eügenia   era festividat,
   vido de visïones   una infinidat,
   ond parece que era   plena de sanctidat.

26 Después de las matinas,   leída la lección,
   escuchóla bien Oria   con grant devocïón,
   quiso dormir un poco,   tomar consolación,
   vido en poca hora   una grant visïón.

27 Vido tres sanctas vírgines   de grant auctoridat,
   todas tres fueron mártires   en poquiella edat;
   Agatha en Cataña,   essa rica ciudat,
   Olalia en Melérida,   niña de grant beldat.

28 Cecilia fue tercera   una mártir preciosa,
   que de don Iesu Christo   quiso seer esposa,
   non quiso otra suegra   sinon la Glorïosa,
   que fue más bella que   nin lilïo nin rosa.

29 Todas estas tres vírgines   que avedes oídas,
   todas eran eguales,   de un color bestidas,
   semejava que eran   en un día nascidas,
   luzién como estrellas,   tant eran de bellidas.

25b   En la liturgia mozárabe la fiesta de Santa Eugenia, virgen-mártir romana del tiempo del emperador Cómodo, se celebraba el día 27 de diciembre.

26a   *matinas,* la primera de las ocho horas en que está dividido el rezo eclesiástico.

27c   *Agatha,* virgen-mártir siciliana en la época del emperador Dacio. La liturgia mozárabe conmemoraba su aniversario el día 5 de febrero.

27d   *Olalia,* Santa Eulalia de Mérida. La forma Melérida, en vez de Mérida, plantea problemas que no se han solucionado todavía.

28a   *Cecilia,* Santa Cecilia, virgen-mártir romana. La liturgia mozárabe conmemoraba su fiesta el día 22 de noviembre.

30 Estas tres sanctas vírgines   en Cielo coronadas,
tenién sendas palombas   en sus manos alçadas,
más blancas que las nieves   que non son coceadas,
paresció que non fueran   en palombar criadas.

31 La niña que yazié   en paredes cerrada,
con esta visïón   fue mucho embargada,
pero del Sancto Spíritu   fue luego conortada,
demandólis qui eran   e fue bien aforçada.

32 Fabláronli las vírgines   de fermosa manera,
Agatha e Olalia,   Cecilia la tercera:
"Oria, por ti tomamos   esta tan gran carrera;
sepas bien que te tengas   por nuestra compañera.

33 Combidar te venimos,   Oria, nuestra hermana,
envíanos don Christo   de quien todo bien mana,
que subas a los Cielos   e que veas qué gana
el servicio que fazes   e la saya de lana.

34 Tú mucho te deleitas   en las nuestras passiones,
de amor e de grado   leyes nuestras razones,
queremos que entiendas   entre las visïones,
quál gloria recibiemos   e quáles galardones."

30c *coceadas,* de cocear, derivado de coz. El cotejo implícito entre los dos estados de la nieve hace brillar la blancura intacta de las palomas.

30d Adviértase que el simbolismo de la paloma se remonta a los primeros siglos del cristianismo, utilizándose muchas veces como emblema de una virgen-mártir.

31c *conortada,* "confortada".

33c Nótese el claro encabalgamiento entre este verso y el siguiente. Aunque no falten ejemplos de encabalgamiento entre verso y verso en los poemas de Berceo, raramente este fenómeno adquiere semejante intensidad.

34a *passiones,* es decir, relatos de la pasión o martirio de un santo. Los *Pasionarios* tenían un carácter litúrgico y se leían en la Iglesia en el oficio nocturno o en la misa que conmemoraba el aniversario de un mártir.

34b *razones,* "vidas", como en antiguo provenzal.

35 Respondió la reclusa   que avié nombre Oria:
   "Yo non sería digna   de veer tan grant gloria;
   mas si me recibiéssedes   vos en vuestra memoria,
   allá serié complida   toda la mi estoria".

36 "Fija, dixo Ollalia,   tú tal cosa non digas,
   ca has sobre los Cielos   amigos e amigas;
   assí mandas tus carnes   e assí las aguisas,
   que por sobir a Cielos   tú digna te predigas.

37 Rescibe est consejo,   la mi fija querida,
   guarda esta palomba,   todo lo ál olvida,
   tú ve do ella fuere,   non seas decebida,
   guíate por nos, fija,   ca Christus te combida."

38 Oyendo est consejo   que Ollalia li dava,
   alçó Oria los ojos   arriba ond estava,
   vido una columna,   a los Cielos pujava,
   tant era de enfiesta   que avés la catava.

39 Avié en la columpna   escalones e gradas,
   veer solemos tales   en las torres obradas,
   yo sobí por algunas,   esto muchas vegadas,
   por tal suben las almas   que son aventuradas.

36c *aguisas,* "dispones". Recuérdese que en los poemas de Berceo las rimas imperfectas aparecen con relativa frecuencia.

36d La omisión del artículo en circunstancias parecidas a ésta, alternándose con la conservación del mismo, es típicamente berceana.

38c La imagen de la columna, así como los escalones y gradas que aparecen después (39a), pertenecen a la rica tradición de descripciones del Paraíso elaboradas desde los primeros siglos del cristianismo.

39c También en otras circunstancias Berceo apela a su experiencia personal para realzar lo que está diciendo o para autenticar sus palabras (cfr., por ejemplo, *SDom,* 109ab).

39d Con este verso termina la descripción de la columna en forma de escala iniciada en el penúltimo verso de la anterior. Según lógica, debería seguir la copla 42, que introduce el paralelo con la escala de Jacob, y luego las coplas 40, 41 y 43 que narran la subida de las santas.

40 Moviósse la palomba,   començó de volar,
   suso contra los Cielos   començó de pujar,
   catávala don Oria   dónde irié a posar
   non la podié por nada   de voluntat sacar.

41 Empeçaron las vírgines   lazradas a sobir,
   empeçólas la dueña   reclusa a seguir;
   quando cató don Oria   Dios lo quiso complir,
   fue pujada en somo   por verdat vos dezir.

42 Quando durmié Jacob   cerca de la carrera,
   vido subir los ángeles   por una escalera,
   aquesta reluzía,   ca obra de Dios era,
   estonz perdió la pierna   en essa lit vezera.

43 Ya eran, Deo gracias,   las vírgines ribadas,
   eran de la columpna   en somo aplanadas,
   vidieron un buen árbol,   cimas bien compassadas,   *l. a.*
   que de diversas flores   estavan bien pobladas.

44 Verde era el ramo,   de fojas bien cargado,
   fazié sombra sabrosa   e logar muy temprado,
   tenié redor el tronco   marabilloso prado,
   más valié esso solo   que un rico regnado.

45 Estas quatro donzellas   ligeras más que biento,
   obieron con est árbol   plazer e pagamiento;
   subieron en él todas,   todas de buen taliento,
   ca abién grant folgura   en él, grant complimiento.

40d   Es decir, que Oria no podía apartar la paloma de su interés y, obediente al consejo de Eulalia (37b), no dejaba de mirar su vuelo.

42ad   Berceo confunde aquí dos episodios distintos de la vida de Jacob: el sueño de la escala que sube al cielo (*Génesis,* 28, 10-19) y la lucha que sostuvo con el ángel en la que perdió la articulación de la pierna (*Génesis,* 32, 23-33).

42d   *lit vezera,* "lucha alterna", porque en la pelea entre Jacob y el ángel la victoria se inclinaba unas veces al lado del ángel y otras a favor de Jacob.

43c   Este árbol representa simbólicamente el Árbol de la Vida, a cuya sombra todo mal desaparece y cuyas ramas casi alcanzan el cielo.

44ad   La descripción del lugar es la típica del «locus amoenus».

46 Estando en el árbol   estas dueñas contadas,
   sus palomas en manos,   alegres e pagadas,
   vidieron en el Cielo   finiestras foradadas,
   lumbres salién por ellas,   de dur serién contadas.

47 Salieron tres personas   por essas averturas,
   cosas eran angélicas   con blancas vestiduras,
   sendas vergas en mano   de preciosas pinturas,
   vinieron contra ellas   en humanas figuras.

48 Tomaron estas vírgines   estos sanctos barones,
   como a sendas péñolas   en aquellos bordones,
   pusiéronlas más altas,   en otras regïones,
   allá vidieron muchas   honradas processiones.

49 Don Oria la reclusa,   de Dios mucho amada,
   como la ovo ante   Olalia castigada,
   catando la palomba,   como bien acordada,
   subió en pos las otras   a essa grant posada.

50 Pujava a los Cielos   sin ayuda ninguna,
   non li fazié embargo   nin el sol nin la luna,
   a Dios avié pagado   por manera alguna,
   si non, non subrié tanto   la fija de Amuña.

51 Entraron por el cielo   que avierto estava,
   alegróse con ellas   la cort que y morava,
   plógolis con la quarta   que las tres aguardava,
   por essa serraniella   menos non se preciava.

46d   *de dur,* "dificilmente".
48c   *péñolas,* "plumas". No hace falta subrayar el valor icónico de las escenas
que aquí se describen.
49d   *pos... posada,* juego paronomástico que demuestra, con los otros, la per-
fección de la técnica versificatoria de Berceo.

52 Aparesciólis luego   una muy grant compaña,
en bestiduras albas   fermosas por fazaña,
semejóli a Oria   una cosa estraña,
ca nunca vido cosa   daquesta su calaña.

53 Preguntó a las otras   la de Villa Velayo:
"Dezitme, ¿Qué es esto,   por Dios e Sant Pelayo?
En el mi coraçón   una grant dubda trayo,
mejor parescen éstos   que las flores de mayo."

54 Dixiéronli las otras: "Oye, fija querida,
calonges fueron éstos,   omnes de sancta vida,
tovieron en el mundo   la carne apremida,
agora son en Gloria,   en leticia complida.

55 Y conosció la fija   buenos cuatros barones,
los que nunca vidiera   en ningunas sazones,
Bartolomeo, ducho   de escrivir passiones,
Don Gómez de Massiella   que dava bien raciones.

56 Don Xemeno tercero,   un vezino leal,
del varrio de Vellayo   fue ésti natural;
Galindo, su criado,   qual él bien otro tal,
que sopo de bien mucho   e sabié poco mal.

57 Fueron más adelante   en essa romería,
las mártires delante,   la freira en su guía,
aparesciólis otra,   assaz grant compañía,
de la de los calonges   avié grant mejoría.

55b *Bartolomé,* de este hagiógrafo, así como de los demás monjes y canónigos que aparecen en ésta y en la copla siguiente, no quedan huellas o datos suficientes para su identificación en los documentos oficiales de la Rioja.

55d *Massiella,* "Mansilla de la Sierra", de la provincia de Logroño y en las cercanías de Villavelayo.

56b *varrio de Velayo,* esta denominación nos indica que el pueblo natal de santa Oria, Villavelayo, era una dependencia de otra población.

57b *en su guía,* "tras ellas".

58 Todos vestién casullas   de preciosos colores,
   blagos en las siniestras   como predicadores,
   cálices en las diestras   de oro muy mejores,
   semejavan ministros   de preciosos señores.

59 Demandó la serrana   qué eran esta cosa:
   "¿Qué procession es ésta   tan grande e tan preciosa?"
   Dixiéronli las mártires   respuesta muy sabrosa:
   "Obispos fueron éstos,   sierbos de la Gloriosa.

60 Porque daban al pueblo   bever de buen castigo,
   por end tienen los cálices   cada uno consigo,
   refirién con los cuentos   al mortal enemigo
   que engañó a Eva   con un astroso figo."

61 Conosció la reclusa   en essa procession
   al obispo don Sancho,   un precioso varón,
   con él a don García,   su leal compañón,
   que sirvió a don Christo   de firme coraçón.

62 Dixiéronli las mártires   a Oria la serrana:
   "El obispo don Gómez   no es aquí, hermana;

58b *blagos,* "báculos, bastones". En cuanto a su función, cfr. 60c.

58c Para el valor simbólico de estos cálices véase, más adelante, 60ab.

60c "rechazaban al diablo con los báculos", es decir, desempeñaban el papel de exorcistas.

61b Don Sancho, obispo de Nájera, fue abad de San Millán desde 1026 hasta 1036.

61c Don García, abad de San Millán en los años 1036-37, fue nombrado obispo de Álava en 1037, lugar en que permaneció hasta su muerte en 1056. Véase *SDom,* 114a.

61d Después de la 61 debía de seguir por lo menos una copla en que Oria preguntaba a las santas por el obispo don Gómez.

62b Don Gómez, abad de San Millán de 1037 a 1046, en los años en que Santo Domingo de Silos desempeñaba el papel de prior en el mismo monasterio. Él fue quien le destituyó de su priorato y le hizo salir de San Millán para satisfacer al rey don García (cfr. *SDom,* c. 167).

> pero que traxo mitra   fue cosa mucho llana,
> tal fue como el árbol   que florez e non grana."

63 Visto este convento,   esta sancta mesnada,
   fue a otra comarca   esta freira levada;
   el coro de las vírgines,   processión tan honrada,
   salieron rescivirla   de voluntat pagada.

3ª comarca

64 Salieron recivirla   con responsos doblados,
   fueron a abraçarla   con los braços alçados,
   tenién con esta novia   los cueres bien pagados,
   non fizieran tal gozo   años avié passados.

65 Embargada fue Oria   con el recebimiento,
   ca tenié que non era   de tal merecimiento;
   estava atordida   en grant desarramiento,
   pero nunca de cosa   ovo tal pagamiento.

66 Si del Rey de la Gloria   li fuesse otorgado,
   fincarié con las vírgenes   de amor e de grado,
   mas aún essi tiempo   non era allegado
   pora prender soldada   del lacerio passado.

67 El coro de las vírgines,   una fermosa az,
   diéronli a la freira   todas por orden paz,
   dixiéronli: "Contigo   muy afirmes nos plaz,
   por en esta compaña   digna eres assaz".

68 Esto por nuestro mérito   nos non lo ganariemos,
   esto en que nos somos,   nos non lo mereciemos,

62cd   Con una de sus típicas imágenes rurales, Berceo califica despectivamente a don Gómez por las antedichas razones.

63b   La división del cielo en comarcas o «mansiones», que corresponden a las distintas jerarquías de los bienaventurados, se amolda perfectamente a la visión del otro mundo según el pensamiento medieval.

64a   *responsos doblados,* rezo litúrgico cantado a dos voces en dos octavas distintas. Se trata del *discantus,* origen de la polifonía.

64c   *cueres,* "corazones". En la lengua de Berceo la forma moderna *(coraçón)* y la antigua *(cuer)* se alternan respetando las necesidades métricas.

mas el nuestro Esposo   a quien voto fiziemos,
fízonos esta gracia   porque bien lo quisiemos."

69 Oria que ant estava   mucho embergonzada,
con estos dichos buenos   fízose más osada,
preguntó a las vírgines,   essa sancta mesnada,
por una su maestra   que la ovo criada.

70 Una maestra ovo   de mucha sancta vida,
Urraca li dixieron,   muger buena complida,
emparedada visco   una buena partida,
era de la maestra   Oria mucho querida.

71 Preguntólis por ella   la freira que oídes:
"Dezitme, mis señoras,   por Dios a qui servides,
¿Urraca es en éstas   las que aquí venides?
grant gracia me faredes   si esto me dezides.

72 Mi ama fue al mundo   ésta por quien demando,
lazró conmigo mucho   e a mí castigando,
querría yo que fuesse   en esti vuestro vando,
por su deudor me tengo   durmiendo e velando."

73 Dixiéronli las vírgines   nuebas de grant sabor:
"Essa que tú demandas,   Urraca la seror,
compañera es nuestra   e nuestra morador,
con Justa su discípula,   sierva del Criador".

74 "Ruégovos, dixo Oria,   por Dios que la llamedes,
si me la demostrardes   grant merced me faredes;

70ad   Sobre esta reclusa que fue maestra de Oria no es posible averiguar nada seguro.

72d   *deudor,* normalmente, en la lengua de Berceo los nombres terminados en -or conservan esta desinencia en el femenino (véanse, más adelante, *seror* [73b] y *morador* [73c], ambos en rima).

73d   Tampoco se puede averiguar nada seguro sobre esta Justa, discípula de Urraca.

yo por la su doctrina entré entre paredes,
yo ganaré y mucho, vos nada non perdredes."

75 Clamáronla por nombre las otras compañeras,
respondiólis Urraca a las vezes primeras;
conosció la voz Oria, entendió las señeras,
mas veer non la pudo por ningunas maneras.

76 La az era muy luenga, esso la embargava,
que non podié veerla ca en cabo estava;
levóla adelante la voz que la guiava,
pero a la maestra nunca la olbidava.

77 En cabo de la vírgines, toda la az passada,
falló muy rica siella de oro bien labrada,
de piedras muy preciosas toda engastonada,
mas estava vazía e muy bien seellada.

78 Vedié sobre la siella muy rica acithara,
non podrié en est mundo cosa seer tan clara;
Dios solo faz tal cosa que sus siervos empara,
que non podrié comprarla toda alfoz de Lara.

79 Una dueña fermosa de edat mancebiella,
Voxmea avié nombre, guardava esta siella;
darié por tal su regno el reï de Castiella,
e serié tal mercado que serié por fabliella.

80 Alçó Oria los ojos escontra Aquilón,
vido grandes compañas, fermosa criazón,

74c *entré entre,* juego paronomástico.

75c *señeras,* "señas".

78a *acithara,* "tapiz", más propiamente "cobertura de una silla de estrado o de montar". Es palabra de derivación árabe.

78d *Lara,* cfr. *SDom,* v. 265a y la nota correspondiente.

79cd O sea que todo el reino de Castilla, a pesar de su grande valor, no puede competir con el valor de este trono.

semejavan vestidos   todos de vermejón;
preguntó a las otras: "¿Estos qué cosa son?"

81 Dixiéronli las vírgines   que eran sus guionas:
"Todos éstos son mártires,   unas nobles personas;
dexáronse matar   a colpes de azconas,
Jesu Christo por ende   diólis ricas coronas.

82 Allí es Sant Estevan   que fue apedreado,
Sant Lorent el que César   ovo después assado,
Sant Vicent el caboso   de Valerio criado;
mucho otro buen lego,   mucho buen ordenado."

83 Vido más adelante,   en un apartamiento,
de sanctos ermitaños   un precioso conviento,
que sufrieron por Christo   mucho amargo viento,
por ganar a las almas   vida e guarimiento.

84 Conosció entre todos   un monge ordenado,
don Monio li dixieron,   como diz el dictado;
a otro su discípulo,   Muño era llamado,
que fue de Valvanera   en abat consagrado.

81c *azconas,* armas arrojadizas, venablos o lanzas.
82a Como es bien sabido, San Esteban fue el primer mártir del cristianismo
y murió lapidado por los judíos.
82b Sobre el martirio de San Lorenzo, que por negarse a entregar los tesoros
de la Iglesia al prefecto de Roma fue quemado vivo en una parrilla en 258, el
mismo Berceo escribió un poema hagiográfico en cuaderna vía.
82c Se refiere a San Vicente levita, mártir en Valencia en tiempos del emperador Diocleciano, y diácono del obispo Valerio (cfr. *SDom,* v. 262a).
84b *don Monio,* un tal don Munio aparece abundantemente como receptor
en la compra de bienes para el monasterio de Valvanera en la primera mitad del
siglo XI. Valvanera fue fundación de eremitas, y a principios de este siglo todavía
conservaba este carácter.
84c *Muño,* posiblemente don Nuño, abad de Valvanera a mediados del
siglo XI.

85 Y vido a Galindo,   en essa compañía,
   ladrones lo mataron   en la hermitanía;
   y vido a su padre,   que llamavan García,
   aquelli que non quiso   seguir nula folía.

86 Vido a los apóstoles   más en alto logar,
   cascuno en su trono   en qui devié juzgar;
   a los evangelistas   y los vido estar,
   la su claridat omne   non la podrié contar.

87 Éstos son nuestros padres,   cabdiellos generales,
   príncipes de los pueblos,   son omnes principales;
   Jesu Christo fue papa,   éstos los cardenales,
   que sacaron del mundo   las serpientes mortales.

88 Como asmava Oria   a su entendimiento,
   oyó fablar a Christo   en essi buen conviento,
   más non podió veerlo   a todo su taliento,
   ca bien lieve non era   de tal merecimiento.

89 Dexemos lo ál todo,   a la siella tornemos,
   la materia es alta,   temo que pecaremos,
   mas en esto culpados   nos seer non devemos,
   ca al non escrevimos   si non lo que leemos.

90 De suso lo dixiemos,   la materia lo dava
   Voxmea avié nombre   qui la siella guardava;
   como rayos del sol   así relampagava,
   bien fue felix la alma   pora la que estava.

85a *Galindo*, cfr. v. 56a. Sobre el asesinato de este monje y la vida de su padre García (85c) no tenemos más informes de los que nos proporciona Berceo en este lugar.

88d *bien lieve*, es adaptación a la lengua de Berceo del adverbio provenzal *ben leu* «fácilmente, quizá».

89d Al igual que en 2b, 4bd y 15a, Berceo alude a la vida latina de Oria redactada por Munio.

90a *De suso lo dixiemos*, Berceo remite a los vv. 79a y b.

91 Vistié esta manceba   preciosa vestidura,
     más preciosa que oro,   más que la seda pura;
     era sobreseñada   de buena escriptura,
     non cubrió omne vivo   tan rica cobertura.

92 Avié en ella nombres   de omnes de grant vida,
     que servieron a Christo   con voluntat complida;
     pero de los reclusos   fue la mayor partida,
     que domaron sus carnes   a la mayor medida.

93 Las letras de los justos   de mayor sanctidat
     parescién más leíbles,   de mayor claridat;
     las otras más so rienda,   de menor claridat,
     eran más tenebrosas,   de grant oscuridat.

94 Non se podié la freira   de la siella toller,
     díxoli a Voxmea   que lo querríe saver,
     esti tan gran adobo   cúyo podrié seer,
     ca non seríé por nada   comprado por aver.

95 Respondióli Voxmea,   díxoli buen mandado:
     "Amiga bien as fecho   e bien as demandado,
     todo esto que vees   a ti es otorgado,
     ca es del tu servicio   el Criador pagado.

96 Todo esti adobo   a ti es comendado,
     el solar e la silla,   Dios sea end laudado,
     si non te lo quitare   consejo del pecado,
     el que fizo a Eva   comer el mal bocado."

97 "Si como tú me dizes,   díxoli Sancta Oria,
     a mí es prometida   esta tamaña gloria,

91c *era sobreseñada,* es decir, llevaba nombres escritos. Según el antiguo rito
de la misa, el obispo se cubría con un palio en el que estaban escritos los nombres
de los Padres y Justos (véanse las coplas 92 y 93. Más detalles sobre este aspecto
pueden verse en otra obra de Berceo: *Sacrificio de la Misa,* cc. 234-238).

92c *reclusos,* cfr. 6b.

96c *pecado,* "diablo", como puede comprobarse fácilmente por el v. 96d.

luego, en esti tálamo, querría seer novia,
non querría del oro tornar a la escoria".

98 Respondióli la otra, como bien razonada:
"Non puede seer esso, Oria, esta vegada;
de tornar as al cuerpo, yazer emparedada,
fasta que sea toda tu vida acabada."

99 Las tres mártires sanctas que con ella vinieron,
en ninguna sazón della non se partieron,
siempre fueron con ella, con ella andidieron,
fasta que a su casa misma la aduxieron.

100 Rogó a estas sanctas de toda voluntat,
que rogassen por ella al Rey de Majestat,
que gelo condonasse por la su pïadat
de fincar con Voxmea en essa heredat.

101 Rogaron a Dios ellas quanto mejor sopieron,
mas lo que pidié ella ganar non lo podieron;
fablólis Dios del Cielo, la voz bien la oyeron,
la su Majestad grande pero no la vidieron.

102 Díxolis: "Piense Oria de ir a su logar,
non vino aún tiempo de aquí habitar;
aún ave un poco el cuerpo a lazrar,
después verná el tiempo de la siella cobrar."

103 "Señor, dixo, e Padre, pero que non te veo,
de ganar la tu gracia siempre ovi deseo;
si una vez salliero del solar en que seo,
non tornaré y nunca segúnt lo que yo creo.

102c *ave*, es forma etimológica (< lat. **habet).**
103a *pero que*, "aunque".
103c *salliero*, fut. de subj. de *salir*.

104 Los Cielos son much altos,   yo pecadriz mezquina,
    si una vez tornaro   en la mi calabrina,
    non fallar en el mundo   señora nin madrina
    por qui yo esto cobre,   nin tardi nin aína."

105 Díxol aún de cabo   la voz del Criador:
    "Oria, del poco mérito   non ayas tú temor,
    con lo que as lazrado   ganest el mi amor,
    quitar non te lo puede   ningún escantador.

106 Lo que tú tanto temes   e estás desmedrida,
    que los Cielos son altos,   enfiesta la subida,
    yo te los faré llanos,   la mi fija querida,
    que non abrás embargo   en toda tu venida.

107 De lo que tú te temes   non serás embargada,
    non abrás nul embargo,   non te temas por nada;
    mi fija, benedicta   vayas e sanctiguada,
    torna a tu casiella,   reza tu matinada."

108 Tomáronla las mártires   que ante la guiaron,
    por essa escalera   por la que la levaron,
    en muy poquiello rato   al cuerpo la tornaron,
    espertó ella luego   que ellas la dexaron.

109 Abrió ella los ojos,   cató en derredor,
    non vido a las mártires,   ovo muy mal sabor;
    vídose alongada   de muy grande dulçor,
    avié muy grande cuita   e sobejo dolor.

104b *calabrina*, "cuerpo separado del alma". Quizá la etimología de esta voz
sea el lat. **cadaverinus.**
105d *escantador*, "hechicero, encantador". Es forma muy usada en la Edad
Media así como el verbo «escantar».
106b *enfiesta*, "alta, elevada".
107d *matinada*, cfr. nota al v. 26a.
108d *espertó*, "despertó".
109c *alongada*, "alejada".

110 Non cuidava veer   la hora ni el día
     que pudiesse tornar   a essa cofradía;
     doliésse de la siella   que estava vazía,
     siella que Dios fiziera   a tan grant maestría.

111 Por estas visïones   la reclusa don Oria
     non dio en sí entrada   a nulla vanagloria;
     por amor de la alma,   non perder tal victoria,
     non fazié a sus carnes   nulla misericordia.

112 Martiriava las carnes   dándolis grant lazerio,
     cumplié días e noches   todo su ministerio,
     jejunios e vigilias   e rezar el salterio;
     querié a todas guisas   seguir el Evangelio.

113 El Reï de los reyes,   Señor de los señores,
     en cuya mano yazen   justos e pecadores,
     quiso sacar a Oria   de estos baticores
     e ferla compañera   de compañas mejores.

114 Onze meses señeros   podrién seer passados
     desque vido los pleitos   que avemos contados,
     de sanctos e de sanctas   combentos much honrados,
     mas non los avié Oria   encara olbidados.

115 En essi mes onzeno   vido grant visïón,
     tan grant como las otras   las que escriptas son;
     non se partié Dios della   en ninguna sazón,
     ca siempre tenié ella   en Él su coraçón.

116 Tercera noche ante   del mártir Saturnino,
     que cae en nobiembre   de Sant Andrés vezino,

113c *baticores,* "penas, sufrimientos". Es un posible provenzalismo.
114d *encara,* "aún, todavía".
116a El culto a San Saturnino de Tolosa en España se remonta al siglo v.
116b El calendario mozárabe celebraba la fiesta de San Saturnino el 29 de
noviembre, y el 30 la de San Andrés, apóstol y mártir.

vínoli una gracia,   mejor nunca le vino,
más dulz e más sabrosa   era que pan e vino.

117 Serié la meatat   de la noche passada,
avié mucho velado,   Oria era cansada;
acostóse un poco,   flaca e muy lazrada,
non era la cameña   de molsa ablentada.

118 Vido venir tres vírgines   todas de una guisa,
todas venién vestidas   de una blanca frisa;
nunca tan blanca vido   nin toca nin camisa,
nunca tal cosa ovo   nin Genua nin Pisa.

cama

119 Ende a poco rato   vino Sancta María,
vínolis a las vírgines   gozo e alegría;
como con tal Señora   todas avién buen día,
allí fue adovada   toda la cofradía.

120 Dixiéronli a Oria: "Tú que yazes soñosa,
levántate, recibi   a la Virgo gloriosa
que es madre de Christo   e fija e esposa,
serás mal acordada   si fazes otra cosa.

121 Respondiólis la freira   con grant humilidat:
"Si a Ella ploguiesse   por la su pïadat
que yo llegar podiesse   a la su Majestad,
cadría a su piedes   de buena voluntat."

117d "la cama no tenía pluma escogida".
118d *nin Genua nin Pisa*, en la Edad Media estas dos ciudades, junto con
Venecia, fueron puertos comerciales de gran relieve en los que confluían mercan-
cías del Oriente así como de las ciudades flamencas del Norte. La lógica del relato
exige tras la copla 118, que comienza a describir las tres vírgenes, las coplas 126-
132, que continúan la descripción y cuentan cómo colocan a Oria en un rico
lecho. Luego deberían seguir las coplas 119-125, que narran la llegada de Santa
María, su conversación y promesa. Y por último, vendrían las coplas 133-136,
donde Oria responde y Santa María le anuncia su próxima enfermedad y muerte.
120a *soñosa,* "soñolienta".

122 Abés avié don Oria   el biervo acabado,
    plegó la Glorïosa,   ¡Dios tan buen encontrado!
    relumbró la confita   de relumbror doblado;
    qui oviesse tal huéspeda   serié bien venturado.

123 La Madre benedicta,   de los Cielos señora,
    más fermosa de mucho   que non es la aurora,
    non lo puso por plazo   nin sola una hora;
    fue luego abraçarla   a Oria la serora.

124 Ovo con el falago   Oria grant alegría,
    preguntóla si era   ella Sancta María.
    "Non ayas nulla dubda,   díxol, fijuela mía,
    yo so la que tú ruegas   de noche e de día.

125 Yo so Sancta María   la que tú mucho quieres,
    que saqué de porfazo   a todas las mugieres;
    fija, Dios es contigo   si tu firme sovieres,
    irás a grant riqueza,   fija, quando murieres."

126 Todas eran iguales   de una calidat,
    de una captenencia   e de una edat;
    ninguna a las otras   non vencié de bondat,
    trayén en todas cosas   todas tres igualdat.

122c *relumbró... de relumbror doblado,* la fuerte aliteración debida al juego
paromástico («relumbró», «relumbror») se refleja también en el complemento no-
minal adjunto («doblado»); *confita,* "morada, edificio". Aquí se hace referencia
a la celda de Santa Oria o bien al conjunto de las celdas y demás construcciones
del antiguo cenobio de San Millán de Suso.

124a *falago,* "halago, lisonja".

125b *porfazo,* "humillación, afrenta, pena". El hecho de que entre las virtudes
de la Virgen se realce concretamente ésta deja pensar que el poema de Oria fuera
destinado, en un primer momento, a un público femenino.

125c *fija, Dios es contigo,* son las mismas palabras que el ángel le dirige a
María en la Anunciación. Por otro lado, toda la escena del encuentro entre Oria
y la Virgen tiene un esquema formal análogo al de las anunciaciones bíblicas.

126-132   Véase nota al verso 118d.

127 Trayén estas tres vírgines   una noble lechiga,
    con adobos reales,   non pobres nin mendiga;
    fabláronli a Oria,   de Dios buena amiga:
    "Fija, oï un poco,   sí Dios te benediga.

128 Liévate de la tierra   que es fría e dura,
    subi en esti lecho,   yazrás más en mollura;
    he aquí la Reína,   desto seï segura,
    si te falla en tierra   abrá de ti rencura."

129 "Dueñas, díxolis Oria,   non es esso derecho,
    pora viejo e flaco   combiene esti lecho;
    yo valient so e niña   por sofrir todo fecho,
    si yo y me echasse   Dios avrié end despecho.

130 Lecho quiero yo áspero   de sedas aguijosas,
    non merescen mis carnes   yazer tan vicïosas;
    por Dios, que non seades   en esto porfidiosas,
    pora muy grandes omnes   son cosas tan preciosas."

131 Tomáronla las vírgines   dándol grandes sosaños,
    echáronla a Oria   en essos ricos paños;
    Oria con grant cochura   dava gemidos straños.
    ca non era vezada   entrar en tales vaños.

132 Luego que fue la freira   en el lecho echada,
    fue de bien grandes lumbres   la ciella alumbrada,
    fue de vírgines muchas   en un rato poblada,
    todas venién honrarla   a la emparedada.

127b   *non pobres nin mendiga,* el primer adjetivo califica a los «adobos reales»,
el segundo a la «lechiga». Se trata, en todo caso, de una licencia poética pues la
coordinación de masculino plural y femenimo singular es un vicio contra la sin-
taxis.
127d   *oï,* "escucha", del lat. **audi;** *sí Dios te benediga,* "así Dios te bendiga".
128c   *seï,* "seas".
130a   *aguijosas,* "punzantes, ásperas".
131c   *cochura,* "disgusto".
131d   "no estaba acostumbrada a tantas comodidades".
132a   *freira,* "monja, hermana".

133 "Madre, díxoli Oria,　si tú eres María,
　　de la que fabló tanto　el barón Isaía,
　　por seer bien certera　algún signo querría,
　　por que segura fuesse　que salvarme podría."

134 Díxol la Glorïosa:　"Oria, la mi lazrada,
　　que de tan luengos tiempos　eres emparedada,
　　yo te daré un signo,　señal buena provada,
　　si la señal vidieres　estonz serás pagada.

135 Esto ten tú por signo,　por certera señal,
　　ante de pocos días　enfermarás muy mal,
　　serás fuert enbargada　de malatí mortal,
　　qual nunca la oviste,　terrásla bien por tal.

136 Veráste en grant quexa,　de muert serás cortada,
　　serás a pocos días　desti mundo passada;
　　irás do tú codicias,　a la silla honrada,
　　la que tiene Voxmea　para ti bien guardada."

137 En cuita yazié Oria,　dentro en su casiella,
　　sedié un grant convento　de fuera de la ciella,
　　rezando su salterio　cascuno en su siella,
　　e non tenié ninguno　enxuta la maxiella.

133b　Alude a las profecías marianas de Isaías (7, 14; 11, 1).

134b　Según el texto de una memoria antigua existente en el monasterio de San Millán de Yuso, Oria murió en el año 1070, entró reclusa a los nueve años y murió a los veintisiete, después de dieciocho años de reclusión. Así las cosas, desde su entrada al monasterio y la primera visión transcurren dieciséis años, tiempo suficientemente amplio para justificar estas palabras de la Virgen.

135c　*malatí*, apócope de «malatía» ("enfermedad"). Cfr. *SDom*, nota al verso 477d.

137ad　Es muy probable que entre la copla 136 y ésta (que pinta abruptamente los últimos momentos de Santa Oria) falten algunas coplas que referirían el cumplimiento del anuncio y la dolencia de la reclusa.

137d　Alusión al lloro de los circunstantes. Algunos creen que con esta expresión metafórica se haga referencia a otro fenómeno y, más concretamente, al hecho de que las gentes que acompañaban a Oria no paraban de rezar («todos movían las mandíbulas»).

138 Yaziendo la enferma   en tal tribulación,
    maguera entre dientes   fazié su oración,
    querié batir sus pechos,   mas non avié sazón,
    pero querié la mano   alçar en essi son.

139 Traspúsose un poco   ca era quebrantada,
    fue a Mont Oliveti   en visïón levada,
    vido y tales cosas   de que fue saborgada,
    si non la despertassen   cuidó seer folgada.

140 La madre con la ravia   non se podié folgar,
    ca todos se cuidavan   que se querié passar;
    metióse en la casa   por la cosa probar,
    començó de traerla,   ovo a despertar.

141 Vido redor el monte   una bella anchura,
    en ella de olivos   una grant espessura,
    cargados de olivas   mucho sobre mesura,
    podrié bevir so ellos   omne a grant folgura.

142 Vido por essa sombra   muchas gentes venir,
    todas venién gradosas   a Oria rescebir,
    todas bien aguisadas   de calçar e vestir;
    querién si fuesse tiempo   al Cielo la sobir.

143 Eran estas compañas   de preciosos barones,
    todos bestidos eran   de blancos ciclatones,

138d "por esto quería levantar la mano de tal manera".
139d A la copla 139, que introduce la visión del Monte de los Olivos, deben
seguir las 141-144, que la detallan; a éstas, la 140, que explica cómo la madre de
Oria la sacude para despertarla y, por fin, la 145, que muestra a Oria quejosa
porque su madre y las religiosas han interrumpido su visión.
140a *ravia,* "disgusto".
141ad La descripción del Monte de los Olivos está hecha con los elementos
típicos del «locus amoenus», mezclando los rasgos evangélicos con otros de ascendencia retórica.
142b *gradosas,* "con agrado, con gusto".
143b Cfr. *SDom,* v. 232a.

semejavan de ángeles   todas sus guarniciones,
otras tales vidiera   en algunas sazones.

144 Vido entre los otros   un omne ancïano,
don Sancho li dixieron,   barón fue massellano,
nunca lo ovo visto   nil tanso de la mano,
pero la serraniella   conosció al serrano.

145 Con esto la enferma   ovo muy grant pesar,
en aquella sazón   non querrié espertar,
ca sedié en grant gloria   en sabroso logar,
e cuidava que nunca   allá podrié tornar.

146 Aviélis poco grado   a los despertadores,
siquiera a la madre,   siquier a las sorores,
ca sedié en grant gloria   entre buenos señores,
que non sintié un punto   de todos los dolores.

147 Dizié entre los dientes   con una voz cansada:
"Mont Oliveti, monte...",   ca non dizié ál nada;
non gelo entendié   nadi de la posada,
ca non era la voz   de tal guisa formada.

148 Otras buenas mugeres   que cerca li sedién,
vedién que murmurava,   mas no la entendién;

_____

144b   Este don Sancho puede ser el mismo obispo-abad de San Millán mencionado en el v. 61b, que gozó de especial veneración por haber impuesto a Santo
Domingo de Silos el hábito benedictino. Mansilla, de donde era natural («barón
fue massellano») se halla al suroeste de Logroño, cerca del lugar natal de Santa
Oria (Villavelayo).

144c   *tanso,* tercera persona del singular, pretérito indefinido de *tañer.*

144d   Mansilla (tierra natal de don Sancho) y Villavelayo (lugar natal de Santa
Oria) están situados en región montuosa. De ahí los epítetos «serraniella» y «serrano» reservados para Oria y don Sancho. Este último murió hacia 1034 y por
lo tanto Santa Oria no llegó a conocerle; Berceo subraya esta circunstancia, su-
giriendo con el juego insistente de los epítetos el lazo sentimental por el que los
dos convecinos, separados en la tierra por la diferencia de generaciones, se re-
conocen en el cielo por la identidad de patria.

por una maravilla   esta cosa avién,
estavan en grant dubda   si era mal o bien.

149 La madre de la dueña   fizo a mí clamar,
fizome en la casa   de la fija entrar,
yo que la afincasse   si podiesse fablar,
ca querié dezir algo   non la podién entrar.

150 Dixiéronli a ella,   quando yo fui entrado:
"Oria, abri los ojos,   oirás buen mandado;
rescibe a don Muño,   el tu amo honrado,
que viene despedirse   del tu buen gasajado".

151 Luego que lo oyó   este mandado Oria,
abrió ambos los ojos,   entró en su memoria,
e dixo: "¡Ay, mezquina!,   estava en grant gloria,
porque me despertaron   so en grant querimonia.

152 Si solo un poquiello   me oviessen dexada,
grant amor me fizieran,   sería terminada,
ca entre tales omnes   era yo arribada
que contra los sus bienes   el mundo no es nada."

149a   En esta copla y la siguiente la voz narradora se traslada de Berceo al
hagiógrafo oficial de Santa Oria, el monje Munio. Como si Berceo tradujera aquí
literalmente la fuente latina sin trasladar el relato a la tercera persona. Es muy
posible que este detalle, junto con otros (el trastorno de algunas coplas, por ejemplo), manifiesten otros tantos rastros de una primera redacción del poema de
Oria que no llegó a completarse o que no pudo revisarse por razones de tiempo.
Cfr. v. 2a y nota correspondiente.

149d   *entrar*, vale aquí «entender» como en 199b. Con la palabra final del
v. 149b establece una rima equívoca.

150c   *el tu amo honrado*, esta determinación atributiva es totalmente berceana puesto que el monje Munio, hablando de sí, no hubiera podido utilizar una
fórmula contrastante con el indefectible «topos humilitatis».

150d   *gasajado*, "compañía".

152b   *amor*, "favor".

152d   *contra*, "en comparación con".

153 Ovo destas palabras   don Muño much placer,
    "Amiga, dixo, esto   fáznoslo entender,
    bien non lo entendemos,   querriémoslo saver,
    esto que te rogamos   tú déveslo fazer".

154 "Amigo, dixo ella,   non te mintré en nada,
    por fazer el tu ruego   mucho so adebdada,
    fui a Mont Oliveti   en visïón levada,
    vidi y tales cosas   por que so muy pagada.

155 Vidi y logar bueno,   sobra buen arbolado,
    el fructo de los árboles   non serié precïado,
    de campos grant anchura,   de flores grant mercado,
    guarrié la su olor   a omne entecado.

156 Vidi y grandes gentes   de personas honradas,
    que eran bien bestidas   todas, e bien calçadas,
    todas me recibieron   con laudes bien cantadas,
    todas eran en una   voluntat acordadas.

157 Tal era la compaña   tal era el logar,
    omne que y morasse   nunca verié pesar;
    si yo oviesse más   un poco y estar,
    podría muchos bienes   ende acarrear."

158 Díxol Muño a Oria: "¿Cobdicias allá ir?",
    díxol a Muño Oria: "Yo sí, más que vivir,
    e tu non perdriés nada   de comigo venir";
    díxol Muño: "Quisiésselo   esso Dios consintir!"

153a   Nótese que aquí el relato se traslada nuevamente a la tercera persona respetando los cánones de los poemas de Berceo.

154a   *mintré,* "mentiré".

155ad   Descripción tópica inspirada en el formulario del «locus amoenus».

156d   "todas cantaban (laudes) al mismo compás". En muchos lugares de sus obras Berceo demuestra claros conocimientos musicales.

159 Con sabor de la cosa   quísose levantar,
    como omne que quiere   en carrera entrar;
    díxoli Muño: "Oria,   fuelga en tu logar,
    non es agora tiempo   por en naves entrar."

160 En esta pleitesía   non quiero detardar,
    si por bien lo tobierdes   quiérovos destajar;
    a la fin de la dueña   me quiero acostar,
    levarla a la siella,   después ir a folgar.

161 El mes era de março,   la segunda semana,
    fiesta de sant Gregorio,   de Leandre cormana,
    hora quando los omnes   fazen meridïana,
    fue quexada la dueña   que siempre bistié lana.

162 La madre de la dueña,   cosa de Dios amada,
    del duelo de la fija   estava muy lazrada;
    non dormiera la noche,   estava apesgada,
    lo que ella comié   non era fascas nada.

163 Yo Muño e don Gómez,   cellerer del logar,
    oviemos a Amuña   de firmes a rogar,

159a   *Con sabor de la cosa,* "con gusto de la visión".

159d   *en naves entrar,* "hacerse a la mar". Metáfora relacionada con una frase hecha o con un refrán.

160ad   Para acortar la narración y pasar rápidamente a otro tema ("a la fin de la dueña me quiero acostar"), Berceo utiliza la fórmula de la «abreviatio». Se trata de una copla de transición.

161b   La fiesta de San Gregorio Magno se celebraba el 12 de marzo, un día antes de la de San Leandro. De ahí que Berceo las llame «cormanas» ("contiguas, vecinas").

161c   Cfr. *SDom,* 37c, y nota correspondiente.

161d   *lana,* "hábito". Como es sabido, las emparedadas no se quitaban nunca los vestidos.

162c   *apesgada,* "agobiada".

163a   La voz narradora pasa nuevamente de Berceo a Munio como en 149-150. En cuanto a don Gómez, despensero en el monasterio de San Millán, sólo sabemos que existió en la segunda mitad del siglo XI un tal «Domnus Gomesanus cellerarius» que firma como testigo junto con el abad don Álvaro de San Millán.

que fuese a su lecho   un poquiello folgar,
ca nos la guardariemos   si quisiesse passar.

164 Quanto fue acostada,   fue luego adormida,
una visïón vido   que fue luego complida,
vido a su marido,   omne de sancta vida,
padre de la reclusa   que yazié mal tañida.

165 Vido a don García   qui fuera su marido,
padre era de Oria,   bien ante fue transido;
entendió bien que era   por la fija venido,
e que era sin dubda   el su curso complido.

166 Preguntóli Amuña: "Dezitme, don García,
quál es vuestra venida,   yo saverlo querría,
si vos vala don Christo,   Madre Sancta María,
dezitme de la fija   si verá cras el día."

167 "Sepas, dixo García,   fágote bien certera,
cerca anda el cabo   Oria de la carrera,
cuenta que es finada,   ca la hora espera,
es de las sus jornadas   ésta la postremera."

168 Vido con don García   tres personas seer,
tan blancas que nul omne   no lo podrié creer,
todas de edat una   e de un parescer,
mas non fablavan nada   ni querién signas fer.

169 Despierta fue Amuña,   la visïón passada,
si ante fue en cuita,   después fue más coitada,

_____

164a   "En cuanto se acostó, cogió enseguida el sueño".
166c   *si vos vala Christo,* fórmula de bendición análoga a las que se encuentran
frecuentemente en el *Cid* («si vos vala el Criador», etc.).
166d   *cras,* "mañana", latinismo.
167b   "Oria se está acercando al final del camino".
168d   *signas,* "señas".

ca sabié que la fija   serié luego passada
e que fincarié ella   triste e desarrada.

170 Non echó esti sueño   la dueña en olbido,
ni lo que li dixiera   García su marido;
recontógelo todo   a Muño su querido,
él decorólo todo   como bien entendido.

171 Bien lo decoró esso   como todo lo ál,
bien gelo contó ella,   non lo priso él mal,
por end de la su vida   fizo un libro caudal,
yo end lo saqué esto   de essi su missal.

172 Conjuróla Amuña   a su fijuela Oria:
"Fija, si Dios vos lieve   a la su sancta gloria,
si visïón vidiestes   o alguna istoria,
dezítmelo de mientre   avedes la memoria."

173 "Madre, dixo la fija,   ¡quém afincades tanto!,
dexatme, si vos vala   Dios el buen Padre Sancto,
assaz tengo en mí   lazerio e quebranto,
más me pesa la lengua   que un pesado canto.

174 Queredes que vos fable,   yo non puedo fablar,
veedes que non puedo   la palabra formar;
madre, si me quisierdes   tan mucho afincar,
ante de la mi hora   me puedo enfogar.

175 Madre, si Dios quisiesse   que podiesse bevir,
aún assaz tenía   cosas que vos dezir;

169d *desarrada*, "desconsolada".
170d Recuérdese que *decorar* significaba entonces «aprender de coro o de
memoria una lección, una oración u otra cosa". Como todo buen hagiógrafo,
Munio encomienda a la memoria las cosas que después tendrá que relatar de-
talladamente.
172b *si Dios vos lieve a la su sancta gloria*, fórmula de bendición y buen agüero
como la del v. 166c.
173a *quém afincades tanto*, "con cuánto ahínco me perseguís".
173b *si vos vala*, cfr. nota al v. 166c.
174d *enfogar*, "ahogar, morir".

mas quando no lo quiere   el Criador sofrir,
lo que a Él ploguiere   es todo de sofrir".

176 Fuel viniendo a Oria   la hora postremera,
fuesse más aquexando,   a boca de noch era,
alçó la mano diestra   de fermosa manera,
fizo cruz en su fruente,   santiguó su mollera.

177 Alçó ambas las manos,   juntólas en igual,
como qui riende gracias   al buen Rey spirital;
cerró ojos e boca   la reclusa leal,
rendió a Dios la alma,   nunca más sintió mal.

178 Avié buenas compañas   en essi passamiento,
el buen abat don Pedro,   persona de buen tiento,
monges e ermitaños,   un general conviento,
éstos fazién obsequio   e todo complimiento.

179 Fue esti sancto cuerpo   ricamente guardado,
en sus paños de orden   ricament aguisado,
fue muchas de vegadas   el psalterio rezado,
non se partieron délli   fasta fue soterrado.

180 Si entender queredes   toda certanidad,
do yaze esta dueña   de tan grant sanctidat,
en Sant Millán de Suso,   ésta es la verdat,
fáganos Dios por ella   merced e caridat.

175cd Rima equívoca. En el primer caso *sofrir* significa «permitir, consentir»; en el segundo, «aguantar, soportar».

176b   *a boca de noch era,* "estaba anocheciendo". Lo cual concuerda con los datos de una tablilla cronológica conservada en el monasterio de San Millán en la que se dice que Santa Oria murió "ora noctis prima".

176d   Gesto ritual aquí relacionado con el sacramento de la extremaunción.

177ad   Cfr. *SDom,* c. 521.

178b   *don Pedro,* último abad del monasterio de San Millán de Suso; lo gobernó desde 1062 a 1072 al mismo tiempo que en el nuevo monasterio de Yuso desempeñaba el oficio de abad don Blas.

179b   *paños de orden,* o sea, el hábito de la Orden benedictina.

181 Cerca de la iglesia   es la su sepultura,
     a pocas de passadas,   en una angustura,
     dentro en una cueba,   so una piedra dura,
     como merescié ella   non de tal apostura.

182 La fija e la madre   ambas de sancta vida,
     como ovieron siempre   grant amor e complida,
     en la muerte y todo   non an cosa partida,
     cerca yaze de Oria   Amuña sepelida.

183 Cuerpos son derecheros   que sean adorados,
     ca sufrieron por Christo   lazerios muy granados;
     ellas fagan a Dios   ruegos multiplicados,
     que nos salve las almas   perdone los pecados.

184 Gonçalo li dixieron   al versificador,
     que en su portalejo   fizo esta lavor;
     ponga en él su gracia   Dios el nuestro Señor,
     que vea la su gloria   en el regno mayor.

185 Aún no me querría,   señores, espedir,
     aún fincan cosiellas   que vos he de dezir;
     la obra començada   bien la quiero complir,
     que non aya ninguno   por qué me escarnir.

181ad   Todos estos detalles constituyen una especie de vademécum, posiblemente redactado en favor de los devotos o devotas de la Santa que visitaban o
querían visitar el monasterio de Suso.

182c   "incluso en la muerte no están separadas".

184ad   Esta copla parece fuera de lugar pues abarca todos los elementos de
un colofón. Puede también interpretarse como una huella más del carácter pro-
visional (en el sentido de una primera redacción) del poema de Oria; cfr. nota al
v. 149a.

184b   *portalejo,* más que al portalejo-vestíbulo de entrada a San Millán de
Suso, este vocablo parece aludir al «scriptorium» del monasterio.

185ad   Si se acepta la hipótesis del poema de Oria como obra en ciernes,
entonces puede interpretarse esta copla y lo que sigue como un apéndice añadido
después de cerrado el poema en la c. 184. De todas formas, adviértase que las
fórmulas de transición aquí utilizadas son frecuentes en las obras de Berceo.

186 Desque murió la fija,   sancta emparedada,
    andava la su madre   por ella fetillada,
    sólo que la podiesse   soñar una vegada,
    teniésse por guarida   e por muy confortada.

187 Sopo Dios entender   bien el su coraçón,
    demostróli Amuña   una grant visïón,
    que sopo de la fija   qué era e qué non;
    aún esso nos finca   de todo el sermón.

188 Cayó una grant fiesta,   un día señalado,
    día de cincüesma   que es mayo mediado;
    ensoñó esta dueña   un sueño deseado,
    por qual muchas vegadas   ovo a Dios rogado.

189 Cantadas las matinas,   la licencia soltada,
    que fuesse quis quisiesse   folgar a su posada,
    acostósse un poco   Amuña bien lazrada,
    e luego ensoñó   la su fija amada.

190 Abraçáronse ambas   como fazién en vida,
    "Fija, dixo la madre,   avédesme guarida,
    quiero que me digades   quál es vuestra venida,
    o si sodes en pena   o sodes end salida".

191 "Madre, dixo la fija,   fiesta es general,
    com es Resurrección   o como la Natal;

186b *fetillada,* "angustiada, afligida".
188b *cincüesma,* Pascua de Pentecostés.
190cd "quiero que me digáis a qué habéis venido, y si estáis en pena o bien fuera de ella".
191a Oria responde a la primera pregunta de las dos que le hace su madre ("quál es vuestra venida", v. 190c).
191b *Natal,* posiblemente latinización de *Nadal,* que es la corriente en provenzal, catalán, aragonés y asturiano. Como quiera que sea, el origen transpirenaico de esta forma no admite discusión.

oy prenden los cristianos   el cevo spiritual,
el cuerpo de don Christo,   mi Señor natural.

192 Pascua es en que deven   christianos comulgar,
recebir Corpus Domini   sagrado en altar;
yo essi quiero, madre,   rescibir e tomar,
e tener mi carrera,   allám quiero andar.

193 Madre, si bien me quieres   e prom quieres buscar,
manda llamar los clérigos,   vénganme comulgar,
que luego me querría   de mi grado tornar,
e nin poco nin mucho   non querría tardar."

194 "Fija, dixo la madre,   ¿dó vos queredes ir?";
"Madre, dixo la fija,   a los Cielos sobir";
"Sin razón me fazedes,   quiérovoslo dezir,
que tan luego queredes   de mí vos despartir.

195 Mas, fija, una cosa   vos quiero demandar,
si en el passamiento   rescibiestes pesar,
o si vos dieron luego   en el Cielo logar,
o vos fizieron ante   a la puerta musar."

192a   Aquí se hace referencia a la Pascua de Pentecostés en la que, después del Concilio de Agde (506) y antes del IV Concilio Lateranense (1215), era obligatoria la comunión.

192d   *allám*, "allá me". La apócope se debe al apoyo enclítico del pronombre personal al adverbio de lugar.

193a   *prom*, "pro me"; apócope y apoyo enclítico del pronombre personal, como antes (192d).

195d   *musar*, "esperar, aguardar", derivado del antiguo provenzal «muzar» ("esperar en vano"). La posible coincidencia entre este verso de Berceo y el v. 188 del cuarto libro de la *Geórgicas* de Virgilio ("fit sonitus, *mussant*que oras et limina circum"), puesta en evidencia por antiguos comentaristas de Berceo (Sánchez, Janer y Lanchetas), no puede sostenerse ya. Además del significado específico del lat. **mussare** ("murmurar", con relación al zumbido o murmullo de las abejas), que se traslada igual a sus derivados romances y que por lo tanto no cuadra con la acepción requerida en este lugar de Berceo, contrasta con esta posibilidad el hecho de que parece casi inadmisible una reminiscencia literal de Virgilio en poemas —como los de Berceo— que no muestran ninguna huella de la latinidad profana.

196 "Madre, dixo la fija,   en la noche primera
non entré al palacio,   non sé por qual manera;
otro día mañana   abrióme la portera,
rescibiéronme, madre,   todos por compañera."

197 "Fija, en essa noche   que entrar non podiestes
¿quién vos fizo compaña   mientre fuer estoviestes?";
"Madre, las sanctas vírgines   que de suso oyestes,
sovi en tal delicio   en qual nunca oyestes".

198 La Virgo glorïosa   lo que me prometió,
Ella sea laudada,   bien me lo aguardó;
en el mi passamiento   de mí non se partió,
de la su sancta Gracia   en mí mucha metió."

199 "Otra cosa vos quiero,   mi fija, preguntar,
en quál compaña sodes   fazétmelo entrar";
"Madre, dixo la fija,   estó en buen logar,
qual nunca por mi mérito   non podría ganar.

200 Entre los inocentes   so, madre, heredada,
los que puso Erodes   por Christo a espada;
yo non lo merezría   de seer tan honrada,
mas plogo a don Christo   la su virtut sagrada."

201 Estas palabras dichas   e muchas otras tales,
Oria, la benedicta,   de fechos spiritales,

196c *otro día mañana,* "a la mañana siguiente".
197b *fuer,* apócope de «fuera».
199b *entrar,* "entender", cf. 149d.

fuyóli a la madre   de los ojos corales;
despertó luego ella,   mojó los lagremales.

202 Vido sin estas otras   muy grandes visïones,
     de que formarié omne   assaz buenas razones,
     mas tengo otras priesas   de fer mis cabazones,
     quiero alzarme desto   fasta otras sazones.

203 Qui en esto dubdare   que nos versificamos,
     que non es esta cosa   tal como la contamos,
     pecará duramente   en Dios que adoramos,
     ca nos quanto dezimos   escripto lo fallamos.

fuente
testigo

204 El qui lo escrivió   non dirié falsedat,
     que omne bueno era   de muy grant sanctidat;
     bien conosció a Oria,   sopo su poridat,
     en todo quanto dixo,   dixo toda verdat.

205 Dello sopo de Oria,   de la madre lo ál,
     de ambas era élli   <u>maestro</u> muy leal;
     Dios nos dé la su gracia,   el buen Rey spirital,
     que allá nin aquí   nunca veamos mal.

maestro   de confesión

201c *de los ojos corales,* o sea, de los ojos del corazón (los del alma y no los
del cuerpo, porque Amuña ve en sueños a su hija). Hay correspondencia en otras
apariciones del mismo vocablo en otras obras de Berceo: "fizo su penitencia con
gemidos *corales"* (*Milagros,* 784c = 829c), donde *corales* significa claramente
"de corazón". En cambio, no creo que pueda aceptarse la hipótesis de *corales*
como síncopa de *cor(po)rales,* justamente porque la visión de Amuña no es de
naturaleza sensible, sino ideal y espiritual.

201d *lagremales,* metonimia por "ojos".

202b *razones,* "composiciones, poemas"; cfr. *SDom,* 28a.

202c *cabazones,* "acabamiento, final".

202d "quiero dejar esto para otra temporada".

203d En llegando al final de su obra, Berceo alude una vez más a su fuente
latina como en 89d, 15a, 4bd y 2b.

204c *sopo su poridat,* "conoció su vida interior", precisamente por haber sido
el confesor de Santa Oria.

205ab Berceo, para realzar la verdad y el valor de su poema, nos informa de
cómo Munio recogió directamente de Oria y de su madre todos los datos para
escribir el «dictado».

205cd Invocación formularia para cerrar un poema, o una parte de él, como
en *SDom.* 486cd.

ÍNDICE DE PALABRAS COMENTADAS EN NOTA

VIDA DE SANTO DOMINGO DE SILOS

POEMA DE SANTA ORIA